# hiwmor
## Y PRESELI

CYFRES  TI'N JOCAN

# hiwmor Y PRESELI

Eirwyn George

y Lolfa

*I Maureen*

Argraffiad cyntaf: 2011



Dymuna'r cyhoeddwyr gydnabod cymorth ariannol Cyngor Llyfrau Cymru

Cartwnau: Elwyn Ioan

Rhif Llyfr Rhyngwladol:
978 1 84771 397 1

Cyhoeddwyd, argraffwyd a rhwymwyd yng Nghymru
gan Y Lolfa Cyf., Talybont, Ceredigion SY24 5HE
*e-bost* ylolfa@ylolfa.com
*gwefan* www.ylolfa.com
*ffôn* (01970) 832 304
*ffacs* 832 782

# Cynnwys

# STRAEON Y LLWYFAN

Ces i 'ngeni a'm magu yn ardal Twffton yng ngogledd Sir Benfro – rhyw ddwy filltir i'r gogledd o'r Landsker, yr hen ffin ieithyddol rhwng y Benfro Gymraeg a'r Benfro Saesneg. Yr adeg honno roedd 'na steddfod fach yn cael ei chynnal bron ymhob un o gapeli'r ardal. Yn wir, roedd 'na ddeg steddfod fach mewn rhyw gylch o bum milltir pan own i'n blentyn.

Wrth fynd ati i drefnu steddfod roedd yn rhaid sicrhau gwasanaeth arweinydd da. Oherwydd fe ddisgwylid i'r arweinydd yr adeg honno nid yn unig i gadw trefn ar y cystadlaethau ond hefyd i ddweud wit neu stori ddoniol bron rhwng pob cystadleuaeth. Fe fyddai 'na edrych mla'n o hyd at storïau'r arweinyddion a chryn drafod arnyn nhw wedyn.

Rwy'n ddigon hen i gofio diwedd yr Ail Ryfel Byd. Rwy'n cofio coelcerth fawr yn cael ei chynnu ar ros Tyrhyg i ddathlu'r diwedd. Mae'r delw hyll o Adolf Hitler yn llosgi'n ulw yn y fflamau yn fyw o flaen fy llygaid o hyd a thyrfa o'r ardalwyr cyffrous yn gweiddi "Hwrê". Fe fu'r cof am y Rhyfel hefyd yn fyw iawn gyda'r bobol am flynyddoedd lawer wedyn.

Dyma'r stori gyntaf rwy'n ei chofio'n gan arweinydd ar lwyfan Eisteddfod Seilo:

Roedd 'na ddau fachgen o'r enw Wil a Dai wedi eu galw i'r fyddin. Wedi iddyn nhw fod yn y siwt gaci am chwe mis roedd ganddyn nhw hawl i fynd adre ar *leave*. Ond cyn cael mynd adre roedd yn rhaid cael caniatâd rhyw *officer* yn y fyddin. Fe ddechreuodd Dai boeni'n arw. Poeni am fod ei Saesneg e'n wael. Roedd e'n gwybod mai Saesneg oedd iaith yr *officer* ac roedd e'n ofni gwneud cawl o bethau a methu â chael y caniatâd i fynd adre. Ond dyma Wil ei bartner yn cael syniad.

"Dweda i beth wnawn ni," meddai. "Ma'n Saesneg i'n eitha da. Fe af i mewn yn gynta, ac fe ddo i mas wedyn i ddweud wrthot ti beth i'w ddweud."

Ac ar hynny y cytunwyd.

Aeth Wil i mewn i stafell yr *officer* a Dai yn aros y tu fas i'r drws. Roedd yr *officer* yn eistedd wrth ei ddesg ac ar ôl i Wil ddweud ei neges dyma fe'n gofyn,

"How old are you?"

"Twenty six years, sir," meddai Wil.

"How long have you been in the army?"

"Six months, sir," oedd ateb Wil.

"Are your parents alive?"

"Both, sir," meddai Wil.

Popeth yn iawn. Fe gafodd ganiatâd i fynd adre.

Wedi i Wil fynd mas a chau'r drws dyma fe'n dweud wrth Dai, "Wedi iddo ofyn y cwestiwn cynta dwed 'Twenty six years, sir'. Wedi iddo ofyn yr ail gwestiwn dwed 'Six months, sir' ac ateb y trydydd cwestiwn yw 'Both, sir'."

Aeth Dai i mewn i'r stafell i ddweud ei neges gan deimlo'n weddol hyderus erbyn hyn. Cododd yr *officer* ei ben a gofyn iddo, "How long have you been in the army?"

"Twenty six years, sir," oedd ateb Dai.

Edrychodd yr hen *officer* arno braidd yn syn a gofyn, "How old are you, then?"

"Six months, sir," meddai Dai.

Gwylltiodd y dyn yn gacwn. Tarodd y ddesg â'i ddwrn a dweud, "What do you think I am, an idiot or a fool?"

"Both, sir!"

Dyma stori arall sy'n perthyn i'r un cyfnod. Doedd hi ddim yn arferiad gan wragedd i fynd allan i weithio'r adeg honno. Gwaith y wraig oedd gofalu am y tŷ a pharatoi bwyd i'r gŵr.

Roedd Sam yn byw mewn tŷ teras yn un o bentrefi'r Rhondda ac yn gweithio mewn pwll glo. Yn anffodus iddo, roedd ganddo wraig ddiog iawn. Doedd hi ddim hyd yn oed yn trafferthu i godi yn y bore i gynnu tân a gwneud brecwast i'w gŵr cyn iddo fynd i'w waith. Wedi cael mwy na llond bol ar bethau dyma Sam yn dweud wrthi un noson:

"Cwyd o dy wely bore fory i gynnu tân a gwneud brecwast i fi, plis."

Ond dal i orwedd yn ei gwely yn ffugio rhyw hanner cysgu a wnaeth y wraig ddiog. Y noson wedyn dyma Sam yn dweud wrthi eto:

"Mae gwraig pob gŵr arall yn codi i gynnu tân a gwneud brecwast iddo. Os na godi di bore fory fe wna i'n siŵr dy fod ti'n codi."

Ond yr un fu hanes y wraig ddiog y bore wedyn hefyd.

"Gad fi'n llonydd," meddai hi. "Dw i eisiau cysgu."

Aeth Sam at ffenest y llofft, ei thynnu hi lawr hyd yr hanner a gweiddi nerth ei ben, "Tân! Tân! Tân!"

Dyma'r cymdogion i gyd yn rhuthro o'u cartrefi gan edrych yn wyllt o gwmpas y lle. Rhoddodd Sam ei ben allan drwy'r ffenest wedyn a gweiddi yn uwch fyth, "Tân! Tân! Tân!"

Erbyn hyn roedd y bobol wedi tyrru yno o'r strydoedd cyfagos hefyd ac wedi ymgasglu yn un dyrfa gynhyrfus o flaen y tŷ. Heb weld arwydd o dân yn unman gwaeddodd rhai ohonynt mewn dryswch llwyr, "Ymhle? Ymhle?"

Atebodd Sam yn gwbl ddidaro o ffenest y llofft:

"Ym mhobman ond tŷ ni."

★ ★ ★

Weithiau, rhyw bwt byr o stori oedd ei angen ar arweinydd steddfodau pan oedd y cystadlu'n drwm a'r amser yn hedfan. Dyma un ohonyn nhw:

Roedd 'na fachgen oedd yn dipyn o gymeriad yn sefyll ar sgwâr y pentre yn ymyl seigen fawr o ddom ceffyl. Pwy ddaeth heibio ond y ffeirad.

"Beth yw hwnna?" meddai'r bachgen wrtho, gan bwyntio ei fys at y seigen ddrewllyd.

"Dom ceffyl," meddai'r ffeirad.

"Nage," meddai'r bachgen.

"Ie, ie," meddai'r ffeirad. "Dom ceffyl yw hwnna."

"Nage," meddai'r bachgen eto.

"Wel, beth yw e, 'te?" gofynnodd y ffeirad.

"Dom caseg!"

Wrth gwrs, roedd yn rhaid i storïau'r arweinyddion symud gyda'r oes. Doedd y gynulleidfa ddim eisiau clywed yr un stori ddwywaith. Neu, o leiaf, fe fyddai wedi colli llawer o'i heffaith beth bynnag. Felly roedd yn rhaid i arweinyddion y steddfodau bach nid yn unig i fod â'r ddawn i ddweud stori'n effeithiol, ond hefyd i fedru dyfeisio storïau newydd dro ar ôl tro.

Dyma un enghraifft o stori wedi ei bathu i symud gyda'r oes tua'r adeg y daeth presgripsiwn meddyg yn rhad ac am ddim. Breuddwyd Aneurin Bevan wedi'i gwireddu. Tua 1948 os cofiaf yn iawn. Ar y dechrau, fe fyddai rhai meddygon yn rhoi pob math o bethau ar bresgripsiwn. Yn wir, roedden nhw'n rhoi Aspirins ar bresgripsiwn. A, credwch neu beidio, rwy'n gwybod am un meddyg oedd yn rhoi lipstic i ferched ar bresgripsiwn hefyd!

Roedd yna was ffarm wedi mynd i weld y doctor a golwg ddiflas iawn arno.

"Beth alla i neud i ti?" meddai'r doctor.

"Dw i eisiau presgripsiwn" oedd ateb y bachgen.

"Popeth yn iawn," meddai'r doctor, "ond presgripsiwn i gael beth?"

"Gwraig," meddai'r bachgen.

"Wel," meddai'r doctor, "dyna un peth fedrwn ni ddoctoriaid ddim ei roi ar bresgripsiwn. Mae'n rhaid iti ddod o hyd i wraig dy hun. Ond fe ro' i gyngor i ti nawr. Cadw dy lygaid ar agor, a cheisia ddod o hyd i ferch mor debyg byth â fedri di i dy fam. Ac wedi i ti gael gafael ynddi, gofynna iddi dy briodi di. A dere 'nôl i 'ngweld i ymhen chwe mis."

Fe aeth y bachgen 'nôl i weld y meddyg ymhen chwe mis a golwg drist arno o hyd.

"O, ie," meddai'r doctor, "dw i'n cofio nawr, ti o'dd eisiau gwraig, ontefe. Wyt ti wedi priodi?"

"Nadw" oedd yr ateb.

"Wel, wel," meddai'r doctor, "welest ti ddim un merch yn debyg i dy fam yn unman?"

"O, do," meddai'r bachgen. "Fe fues i'n mynd gyda merch oedd 'run fath â Mam ym mhob ffordd."

"A ofynnest ti iddi dy briodi di?!"

"Naddo, wir, allen i byth. Doedd Dadi ddim yn ei leicio hi!"

★ ★ ★

Gorau oll os gallai'r arweinydd fathu stori bert am rywun oedd yn y gynulleidfa ar y pryd. Bu Tom Hamer yn ficer ym Maenclochog am yn agos i ddeng mlynedd ar hugain. Dyn tal, cymharol denau oedd Hamer, bob amser yn gwisgo coler gron a het uchel. Roedd e wrth ei fodd hefyd yn mynd ar gefn ei feic i bobman. Er bod ganddo gar, yn segur yn y garej roedd hwnnw am y rhan fwyaf o'r amser. Y beic oedd paradwys y ficer i gadw'n heini a blasu'r awyr iach fel ei gilydd. Roedd e'n seiclo'n aml iawn i dre Hwlffordd sy'n dair milltir ar ddeg o bellter un ffordd o bentre Maenclochog. Rwy'n cofio amdana i, pan oeddwn tua deunaw oed, yn teithio adre yn fy nghar o Hwlffordd lawer gwaith, a mynd heibio Tom Hamer ar gefn ei feic, het ddu uchel am ei ben a choler gron am ei wddf, yn pedlo arni yn reit jacôs.

Nid oedd Hamer yn llawer o steddfodwr. Ond roedd e'n dangos ei wyneb yn Eisteddfod Maenclochog bob blwyddyn. Dod i mewn i'r neuadd rywbryd yn gynnar yn y nos, sefyll ar ei draed wrth y wal gefn, ac aros yno am ryw awr, i ddangos ei fod yn cefnogi'r achos.

Rwy'n cofio'n iawn am un steddfod a'r cystadlu yn ei anterth. Dil Hafod Ddu (arweinydd tan gamp) oedd yn cadw trefn ar y llwyfan. Daeth Tom Hamer i mewn a sefyll fel arfer wrth y wal gefn.

"Wel," meddai Dil Hafod Ddu wrth y gynulleidfa, "fe ges i freuddwyd ryfedd neithiwr. Rown i'n sefyll ar sgwâr Maenclochog. Ac roedd 'na ysgol raff ar y lawnt o dan yr eglwys yn estyn i fyny uwchlaw'r cymylau. Roedd Pedr yn sefyll wrth waelod yr ysgol ac yn dweud wrth bawb oedd yn mynd heibio, 'Os y'ch chi am fynd i'r nefoedd mae'n rhaid i chi ddringo'r ysgol hon nes cyrraedd y pen draw. Ond cofiwch un peth. Wedi i chi lanio yn y nefoedd mae yno lyn mawr o ddŵr. Rhywbeth tebyg o ran ei faint i Lyn Llysyfrân. (Roedd yr argae a'r llyn newydd gael eu hagor ar y pryd a'r llwybr troed o'u hamgylch yn wyth milltir o hyd.) Ac am bob pechod y'ch chi wedi ei gyflawni ar y ddaear 'ma bydd yn rhaid i chi gerdded un waith o amgylch y llyn. Dyna fydd eich cosb chi am bechu.'"

"Wel," meddai Dilwyn, "dw i am ei threio hi, ta beth. A dyna fi'n dechrau dringo'r ysgol. Ac roedd un peth yn dal i droi yn y meddwl drwy'r amser – sawl gwaith wdw i wedi pechu yn yr hen fyd 'ma? Sawl gwaith fydd yn rhaid imi gerdded o amgylch yr hen lyn mawr 'na?

Pan own i tua hanner ffordd i fyny pwy oedd yn dod lawr ar frys gwyllt ond Tom Hamer.

'Beth sy', Mr Hamer?' meddwn i wrtho, 'y'ch chi wedi cael sac o'r nefoedd 'na?'

'B-r-r, naddo, fachgen,' meddai. 'Ond dw i'n mynd adre i nôl y beic!'."

★ ★ ★

Un o'r arweinwyr gorau ar lwyfan y steddfodau bach oedd WR Evans, prifathro ysgol Bwlchygroes ar y pryd. Ef biau'r stori ddoniolaf, fwyaf dyfeisgar, imi ei chlywed erioed. Sôn yr oeddwn am fathu stori oedd yn symud gyda'r oes. Nid ar lwyfan steddfod y digwyddodd hyn chwaith ond ym Mhabell Lên Eisteddfod Genedlaethol Caerfyrddin 1974.

Roedd yr Eisteddfod wedi torri tir newydd drwy drefnu Ymryson Ffraethineb (dweud stori ar y pryd) yn ogystal ag Ymryson y Beirdd. Tîm Islwyn Jones, Y Barri, oedd yn cystadlu yn erbyn tîm Huw Jones, Y Bala, ac Ifor Bowen Griffiths yn beirniadu.

Y dasg oedd cael testun ar y pryd a chael rhyw ddeng munud wedyn i gyfansoddi stori ar y testun hwnnw cyn dod yn ôl i'w hadrodd ar y llwyfan a chael marciau gan y beirniad.

Dyma'r adeg yr oedd Ysgolion Cyfun (*Comprehensive*) yn dechrau ennill eu plwy ar draws y wlad. Cyn hyn, wrth gwrs, y plant mwyaf galluog, y rhai oedd yn llwyddo yn arholiad y 11+, oedd yn ennill eu lle mewn Ysgol Ramadeg a'r plant llai galluog yn mynd i Ysgol Eilradd. Ond mewn Ysgol Gyfun roedd plant o bob gallu yn derbyn eu haddysg o dan yr un to. Roedd WR yn ddarlithydd yng Ngholeg Y Barri ar y pryd ac yn aelod o dîm Islwyn Jones.

Y testun a roddwyd iddo ef a'i wrthwynebydd oedd naill ai 'Nefoedd' neu 'Uffern'.

Dyma stori WR pan ddaeth yn ôl i'r llwyfan:

Roedd 'na ddyn wedi mynd i'r nefoedd – lle tebyg i ysgol uwchradd fawr gyda swyddfa wrth y fynedfa a choridorau'n arwain i bob cyfeiriad. Roedd Pedr yn eistedd wrth ei ddesg wrth ffenest y swyddfa a rhesi di-ben-draw o allweddi yn hongian ar fachau ar y wal y tu ôl iddo. Wedi i'r dyn ddweud ei neges cododd Pedr a mynd ati i chwilio drwyddyn nhw. Wedyn, dyna fe'n estyn allwedd i'r dyn a dweud wrtho,

"Rhif 357 yw'ch stafell chi. Ewch i ddiwedd y coridor hwn a throi i'r chwith. Wedyn, cymerwch yr ail goridor ar y chwith ac wedyn y pedwerydd ar y dde. Wedyn, cymerwch y pumed ar y chwith, y seithfed ar y chwith a'r pedwerydd ar y dde. Wedi i chi fynd i waelod y coridor hwnnw trowch i'r chwith a throi'n syth i'r dde wedyn. Yna, cymerwch y trydydd tro ar y dde ac fe fydd eich stafell chi tua hanner y ffordd ar y chwith yn y coridor hwnnw."

Dechreuodd y dyn ar ei daith gan feddwl 'Sut yn y byd y medra i gofio'r holl gyfarwyddiadau yna?'.

Ac wedi iddo gerdded am ychydig roedd e wedi anghofio. Doedd dim amdani felly ond dal i gerdded gan obeithio dod o hyd i stafell 357 yn rhywle.

Wrth gerdded drwy ryw goridor cul daeth wyneb yn wyneb â'r Diafol. Cafodd dipyn o sioc o weld hwnnw, o bawb, yn y nefoedd. Wrth fynd heibio, cydiodd yn ei fraich a gofyn iddo, "Esgusodwch fi, syr, ydw i wedi dod i'r lle iawn?"

Atebodd y Diafol yn gwbl ddidaro, "Ydych, ydych, ry'n ni wedi mynd yn *Comprehensive*!"

Campwaith o gyfansoddiad oedd wedi llwyddo i gyfuno'r ddau destun mewn un stori. Pwy ond WR a fedrai wneud rhywbeth fel hyn?

# GOGLAIS Y GYNULLEIDFA

Roedd cystadlu trwm yn adran lenyddol y steddfodau bach, er mai ychydig o geiniogau a fyddai'r wobr. Gyda'r limrig roedd llawer o dynnu coes yn digwydd – tynnu coes y beirniad a thynnu coes y gynulleidfa. Fe fyddai'r gwrandawyr bob amser yn edrych mla'n at glywed y beirniad yn darllen rhai o'r limrigau doniol hefyd. Un o'r cystadlaethau mwyaf poblogaidd oedd gorffen limrig. Dyma un o limrigau Eisteddfod Maenclochog rai blynyddoedd yn ôl:

"Daeth dyn," meddai Darwin, "o'r epa."
    "Na, na," meddai'r Ianci, "o Efa."
        Ond meddai Wil Bach,
        Sy'n ddoethur go iach,
  "Daeth Sadrach o'r fenyw drws nesa!"

Roedd cael odl gyrch yn y llinell olaf wastad yn help i greu effaith. Ond dyma'r llinell fuddugol:

"Daeth dyn," meddai Darwin, "o'r epa."
    "Na, na," meddai'r Ianci, "o Efa."
        Ond meddai Wil Bach,
        Sy'n ddoethur go iach,
  I ble mae e'n mynd sy' bwysica!

Ie, edrych mla'n sydd angen i ni ei wneud, nid edrych yn ôl!

★ ★ ★

Weithiau fe fyddai 'na gystadleuaeth cyfansoddi limrig cyfan ac roedd hynny'n fwy o gamp. Rwy'n cofio'n dda am un limrig sy'n perthyn i'r cyfnod pan oedd ffermwyr yn godro gwartheg â llaw. Cyn mynd ati roedd yn rhaid gosod stôl isel deirtroed i eistedd arni o flaen un o goesau ôl y fuwch, rhoi pail (bwced) ar y llawr o dan ei chadair, a'r godrwr wedyn yn cydio mewn dwy deth, un ymhob llaw, a thynnu llaeth o'r ddwy bob yn ail, i lenwi'r bwced. Cofiwn hefyd fod llawer o bobol yr adeg honno'n defnyddio pwmp llaw i godi dŵr o ffynnon rywle o dan y ddaear yn agos i'w cartre. Pwmp ag iddo handlen hir i afael ynddi. Roedd llawer o ffermwyr hefyd yn cadw gwas ifanc, cryf gan amlaf, i helpu gyda'r gwaith ffarm. Dyma'r limrig:

Daeth bachgen i'r ardal co' i weithio
Heb wybod fawr ddim sut oedd godro,
Rhoi pail wnaeth y crwt
Dan y gader yn dwt,
A chydio'n y cwt i gael pwmpo.

★ ★ ★

Ar un adeg roedd pobol o Wlad Pwyl yn prynu ffermydd ymhob man yng ngogledd Sir Benfro a llawer ohonynt heb syniad sut oedd ffermio chwaith. Dyma limrig dyfeisgar arall:

Aeth ffarmwr llwyddiannus o Biwla
Â bustach i'r mart wthnos dwetha,
Fe'i prynwyd gan Bôl
Ond fe halodd e 'nôl.
Roedd e'n gillwn, mynte fe, dan 'i fola.

Nid oes angen dweud nad oedd y dyn hwnnw yn gwybod y gwahaniaeth rhwng buwch a bustach!

* * *

Weithiau, mae'r ffin yn denau iawn rhwng bod o ddifri a bod yn ddigri, os oes 'na ffin o gwbl. Perthyn i ba un o'r ddau ddosbarth y mae'r limrig hwn a wobrwywyd yn Eisteddfod Maenclochog ryw bedair blynedd yn ôl? Adeg etholiad y Cyngor Sir oedd hi a gorffen limrig oedd y dasg:

Aeth Dafi i'r bwth i bleidleisio
I Wili Wit Wat, Duw a'n helpo,
Ond crafu ei phen
Yn hir a wnaeth Gwen:
Wit wat oedd pob un oedd yn treio!

# CLECS Y CAPEL

Dychwelwn eto at storïau arweinyddion steddfodau bach y capeli. Roedd stori am bregethwr neu ffeirad yn siŵr o fynd lawr yn dda gyda'r gynulleidfa bob amser.

Roedd gweld rhai o'r diaconiaid yn y sêt fawr yn cymryd napyn yn ystod y bregeth ddim yn beth anghyffredin o gwbl mewn ambell gapel. Roedd un gweinidog wedi bod yn poeni tipyn am hyn ac yn meddwl beth tybed oedd orau iddo ei wneud. Ai aros ar hanner y bregeth a gweiddi, "Hei, gwrandewch arna i!" neu fynd i weld rhai ohonyn nhw yn eu cartrefi i roi gwybod iddynt ei fod yn teimlo'n anghysurus ynghylch y peth? Ond un pnawn Sul fe ddaeth ei gyfle.

Roedd 'na wraig wedi mynd â'i babi gyda hi i'r oedfa. Yn ystod y bregeth fe ddechreuodd hwnnw sgrechian yn ddiddiwedd. Cododd y fenyw i fynd allan. Ond gwaeddodd y pregethwr arni o'r pulpud,

"Hei, sdim isie i chi fynd mas. Dewch ag e mla'n fan hyn i'r sêt fowr. Fe gysgith fel twrch!"

★ ★ ★

Roedd 'na un gweinidog heb fod yn bregethwr

huawdl. Yn wir, a dweud y gwir, pregethwr sych oedd e. Ond roedd e'n hoff iawn o blant. A'r plant hefyd yn hoff iawn o'r gweinidog.

Un prynhawn, galwodd mewn tŷ yn y pentre ar ei siwrne fugeiliol. Daeth merch fach naw mlwydd oed i ateb y drws ac roedd hi'n falch iawn o'i weld.

"O, Mr Williams," meddai hi, "y'ch chi wedi gwella?"

Edrychodd y gweinidog yn syn arni a dweud,

"Dw i ddim wedi bod yn dost, 'merch fach i."

"O," meddai'r ferch. "Mam oedd yn dweud eich bod chi'n wael dydd Sul!"

⋆ ⋆ ⋆

Cynhelid Cymanfa Bwnc yn y rhan fwyaf o gapeli gogledd Sir Benfro ar ddydd Llun y Sulgwyn. Dyma'r drefn arferol. Fe fyddai'r Gymanfa'n dechrau gyda'r plant yn mynd drwy eu gwaith o adrodd holwyddoreg ar flaen y galeri ac yn cael eu holi gan un o athrawon yr Ysgol Sul. Wedi cwblhau eu gwaith fe fydden nhw'n symud i eistedd yn seddau llawr y capel a'r oedolion yn mynd i'r galeri i lafarganu pennod o'r Ysgrythur.

Un flwyddyn roedd y gweinidog newydd adael un o'r capeli a bu'n rhaid gofyn i weinidog o'r tu allan i ddod yn ei le i holi'r Gymanfa Bwnc.

Y flwyddyn honno "Y Bugail Da" oedd thema

holwyddoreg y plant ac wedi iddyn nhw orffen cododd y gweinidog ar ei draed yn y pulpud a dweud,

"Y'ch chi blant wedi mynd drwy'ch gwaith yn arbennig o dda. Ond cyn eich bod chi'n symud o'r galeri i roi lle i'r oedolion rydw i am ofyn un neu ddau gwestiwn i chi hefyd. Y'ch chi wedi bod yn sôn am y bugail da, nawr 'te, dwedwch wrtho i beth yw bugail?"

Ni atebodd neb.

"Dewch mla'n," meddai'r pregethwr, "mae'n siŵr eich bod chi'n gwybod beth yw bugail."

Neb yn ateb eto.

"Wel, wel," meddai'r pregethwr, "y'ch chi i gyd bron â bod yn blant ffermydd, mae'n siŵr eich bod chi'n gwybod beth yw bugail. Fe roia i enghraifft i chi nawr. Petaech chi'r plant sy ar y galeri i gyd yn ŵyn bach, a'r bobol mewn oed sy'n eistedd ar y llawr i gyd yn ddefaid, beth fyddwn *i* wedyn?"

Cododd un bachgen bach ei law fel fflach, "Hwrdd, syr!"

* * *

Roedd gan un gweinidog fachgen o'r enw John, oedd yn ddeng mlwydd oed ar y pryd. Un pnawn Sul fe benderfynodd y gweinidog fynd â John gydag e i'r oedfa. Fel mae'n digwydd, ef oedd yr unig blentyn yn y gynulleidfa. Gan iddo deimlo braidd ar wahân fe aeth i eistedd ar ei ben ei hun ar flaen y galeri.

Yn ystod y bregeth sylwodd John fod llyfr emynau ar y sedd yn ei ymyl, a rhai o'r dalennau wedi torri'n rhydd. Cydiodd yn y ddalen uchaf a gwneud awyren bapur ohoni – dwy adain a thrwyn hirfain. Plygodd dros astell y galeri a'i thaflu drwy'r awyr i ddisgyn ar gopa moel un o'r dynion oedd yn eistedd ar un o seddau chwith llawr y capel.

Wedyn cydiodd mewn dalen arall, gwneud awyren bapur o honno hefyd a'i thaflu i ddisgyn ar het un o'r gwragedd a eisteddai tua'r canol.

Roedd y gweinidog, wrth gwrs, yn gweld beth oedd yn digwydd, ac fe gollodd ei dymer yn lân.

"John!" meddai mewn llais cas. "Gad y nonsens 'na, a gad hi nawr, ar unwaith."

Atebodd John yn hollol ddidaro o'r galeri, "Popeth yn iawn, Dad bach, cadwch chi mla'n i bregethu. Fe gadwa i nhw ar ddi-hun i chi!"

* * *

Roedd y Parchedig John Jones yn berson annwyl iawn ac yn gwmnïwr diddan hefyd. Am ryw reswm roedd e wedi magu'r arfer o ddweud "am wn i" yn fynych iawn ar ôl gwneud rhyw sylw neu ateb i gwestiwn. Fe fyddai hyd yn oed yn dechrau ei bregeth yn aml â rhyw frawddeg fel hyn,

"Fe ddaw'r testun y bore 'ma o'r seithfed bennod

a'r bumed adnod o Efengyl Mathew, am wn i." Ei ddweud yn hollol ddifeddwl.

Trefnwyd Cwrdd Eglwys yn y capel unwaith i benderfynu beth i'w wneud â rhyw swm o arian oedd mewn llaw. Roedd pawb yn gytûn y dylid ei wario mewn rhyw ffordd neu'i gilydd er lles y plant. Onid hwy oedd dyfodol yr Eglwys?

Dwedodd un o'r aelodau, "Mae'r Nadolig yn nesáu, ac ry'n ni'n arfer cynnal parti i'r plant yn y festri bob blwyddyn. Gan fod tipyn o arian mewn llaw, dw i'n cynnig ein bod ni'n gwneud sbloet fawr ohoni 'leni a threfnu parti y bydd y plant yn ei gofio am byth."

Anghytunodd rhywun arall.

"Fe fyddan nhw'n cael parti ta beth," meddai. "Ry'n ni'n arfer mynd â'r plant am drip i lan y môr yn yr haf, naill ai i Drefdraeth neu Ddinbych-y-pysgod. Dw i'n cynnig ein bod ni'n cadw'r arian tan hynny ac yn trefnu trip i fynd â'r plant i Borthcawl. Fe fyddai hynny'n brofiad cwbl newydd iddyn nhw."

Bu trafodaeth hir. Tua hanner y bobol o blaid y parti a'r hanner arall yn credu y byddai'r plant yn gwerthawrogi'r trip yn fwy o lawer.

Ymhen amser dyma rywun yn troi at y gweinidog a dweud wrtho, "Y'ch chi Mr Jones yn dawedog iawn. Beth yw'ch barn chi?"

“Wel,” meddai’r gweinidog, “mae’n anodd iawn i mi roi barn ar y mater ’ma, oherwydd does gen i ddim plant fy hun, am wn i.”

* * *

Roedd Orlando Ysgol Hill yn gymeriad a hanner. Yn hwyr un pnawn Sul roedd e’n torri’r coed prifets ar ben y clawdd y tu allan i’w gartref yn ymyl y ffordd fawr. Pwy ddaeth heibio yn ei gar ond y gweinidog. Arhosodd ar ei union.

“Ddylech chi ddim gweithio heddi, Mr Howells,” meddai. “D’ych chi ddim yn sylweddoli mai Dydd yr Arglwydd yw hi?”

Atebodd Orlando fel mellten, “Ma nhw’n tyfu ar y Sul, ta beth!”

* * *

Roedd Dafis Pregethwr yn ddyn mawr yn gorfforol – yn dal, yn dew ac yn llydan ar ei ysgwyddau.

Arferai gynnal oedfa yn y capel bob bore a hwyr ar y Sabath a mynd i’r Ysgol Sul yn y prynhawn i gymryd dosbarth o blant. Ei ddull ef o’u dysgu oedd gadael i’r plant ofyn cwestiynau o bob math iddo, a’u hateb yn ôl y galw.

Un tro, gofynnodd un o’r plant iddo, “O beth maen nhw’n gwneud llong?”

Ceisiodd y gweinidog ddisgrifio rhai o brif nodweddion gwneuthuriad y llongau mawr.

Dyma un arall yn gofyn wedyn, "O beth mae'n nhw'n gwneud eroplên?"

Ceisiodd y gweinidog esbonio eto orau y medrai.

Y cwestiwn nesaf oedd, "O beth mae'n nhw'n gwneud dyn?"

Arhosodd y gweinidog am funud i feddwl a dyma fe'n dweud, "O bridd y ddaear, 'machgen i."

"Wel," meddai'r crwt, "mae'n siŵr fod 'na dwll mawr lle cawsoch chi eich gwneud 'te!"

★ ★ ★

Mae gen i gyfaill sy'n honni bod yn anffyddiwr. Y rheswm, medde fe, yw nad oes tystiolaeth ddibynadwy ynglŷn â pha fath o dransport oedd gan yr Iesu yn mynd i mewn i Jeriwsalem ar Sul y Blodau. Dywedir mewn rhai mannau yn yr Ysgrythurau mai marchogaeth ebol asyn oedd e.

Dywedir mewn man arall, "Ac yn y fan, ef a aeth i Jeriwsalem" – heb ddweud pa fath o fan oedd hi chwaith.

Ac fe ddywedir yn y fersiwn Saesneg gyfatebol, "And he came in triumph."

Onid oedd y Triumph Herald yn gar poblogaidd ar un adeg?

★ ★ ★

Roedd Tom Hamer, ficer Castell Henri yn weithiwr tan gamp. Cadwai fynwent yr eglwys mor lân â phin ac roedd e'n gamster ar ddefnyddio'i ddwylo gyda phob math o waith. Un tro, pan oedd e'n plastro wal yr adeilad y tu allan, syrthiodd oddi ar yr ysgol a thorri ei fraich. Bu'n rhaid iddo ei chadw mewn sling am beth amser wedyn.

Ar y pryd roedd e'n cadw Ysgol Sul i'r plant yn y prynhawn ac fe roddodd ei droed ynddi'n solet pan ddywedodd wrth y dosbarth fod Iesu Grist yn safio pobol.

"Wel," meddai un o'r bechgyn, "safiodd e ddim ohonoch chi pan gwmpoch chi o ben yr ysgol. Fe dorroch chi'ch braich!"

Roedd TE Nicholas, y bardd a'r pregethwr a aned wrth droed y Preseli, yn un o'r cymeriadau mwyaf lliwgar imi ddod i gysylltiad ag e erioed. Mae'n honni mewn darn byr o hunangofiant a adawodd mewn llawysgrif mai'r Parchedig Seimon Evans, Hebron, oedd dyn sanctaidd yr ardal pan oedd e'n blentyn. Pe digwyddai'r plant ei gyfarfod yn cerdded ar y ffordd yn rhywle fe fyddent yn rhedeg i guddio y tu ôl i'r clawdd. Roedd mwy o ofn Seimon Evans arnyn nhw nag o ofn Duw.

Gadawaf i Nicholas ei hun ddweud mwy amdano:

Pregethwr sych ydoedd yn ôl yr hanes. Cofiaf y tro cyntaf imi fynd i'r Gogledd i bregethu i gyrddau mawr, pregethu gyda WJ Nicholson, Porthmadog. Y bore Mawrth dilynol, roedd y gŵr annwyl hwnnw yn dod yn ôl ar yr un trên â mi i bregethu yn Aberystwyth. Roedd pob man yn y Gogledd yn ddieithr i mi ar y pryd ac roedd y pregethwr enwog wrth ei fodd yn dangos ac yn enwi pob lle i mi. Pan ddaethom i ardal y Borth a dechrau teithio drwy Gors Fochno, meddai, "Dyma Gors Fochno".

"Felly wir," meddwn innau.

"Mae'n gors wlyb iawn ac yn anodd ei sychu. Maent wedi ceisio ei sychu lawer gwaith a gwario llawer o arian."

"Felly wir," ebe finnau.

"A'r ymgais olaf i'w sychu oedd dod â Seimon Evans, Hebron, i bregethu uwch ei phen!"

Wrth gwrs, fe wyddai Nicholson fod Nicholas yn hannu o ardal Seimon Evans. Dyna beth oedd tynnu coes go iawn, ontefe?

# ENGLYNION DIGRI

GŴR Y COED

Incwm ni roed i fwnci, – ei annedd
    Canghennau y gelli,
  Hagr iawn ydyw'r gŵr heini,
  O'r un ach â Mari ni.

Eirwyn George

* * *

LOCSYN

Seidbord y dandi lordaidd, – gwelltog allt
    Y gwyllt gern Bicwicaidd,
  Y twf hirdwf Edwardaidd,
  Y cae blew ger winc y "blaidd".

WJ Gruffydd

* * *

DYN TENAU

Esgyrn a chroen a gwasgod, – a llodrau
    Lledrith ar ddisberod;
  A'r lle roedd efe i fod
  Y mae gwisg am ei gysgod.

Mafonwy

★ ★ ★

BEDDARGRAFF GWERTHWR FFENESTRI

I'w hirnych yr aeth Ernest, – o'i ffirm fawr
    I'w ffrâm fach ddiffenest,
  Yn ei wanc, aeth i'r incwest
  Yn oferôl Ever-rest.

D Gerald Jones

★ ★ ★

CÂN SERCH Y CWRCYN

Seren hwyr a serenâd, – miaw hir
    Trwm o wae, a phoerad;
  Yn nwbl fforte'i ddyhead
  Pwy ry' daw ar ddarpar dad?

Tomi Evans

# BYD Y DAFARN

Bu'r Parchedig Joseph James yn weinidog yn Llandysilio a Bethesda am dros hanner canrif. Dyn mawr oedd e o ran maintioli ei gorff, gwallt gwyn fel eira ar ei ben a'i wyneb bob amser yn serchog. Pregethwr emosiynol hefyd. Weithiau, fe fyddai'n aros ar hanner ei bregeth a chrio nes bod dagrau'n llifo i lawr dros ei ddwy foch. Y funud nesaf fe fyddai'n chwerthin nes bod astell y pulpud yn siglo. Roedd e'n feistr ar gyffwrdd teimladau'r gynulleidfa.

Ni fu neb erioed yn berchen ar fwy o hiwmor a synnwyr digrifwch chwaith. Roedd wrth ei fodd yn adrodd ambell stori ddoniol a chic yn ei chynffon. Dyma un hanesyn o'i eiddo y bu llawer o adrodd arno yn y gymdogaeth wedyn:

Un noson roedd Joseph James wedi mynd allan i gerdded ym mhentre Clunderwen. Pan oedd e'n mynd heibio tafarn y Narberth Arms digwyddodd un o'i aelodau mwyaf selog gamu allan drwy'r drws. Fel mae'n digwydd roedd e'n un o selogion y dafarn hefyd ond heb ddychmygu fod y gweinidog yn gwybod. Teimlodd rywfaint o gywilydd a cheisio ffugio rhyw esgus i gyfiawnhau ei ymweliad â'r lle. Gwnaeth sŵn crygni mawr yn ei gorn gwddf:

"Y... y... y, Mr James bach, ma annwyd ofnadwy

arna i, a galwes i miwn i ga'l rhywbeth i'w glirio fe."

Atebodd Joseph James ef ar ei ben, "Oes, oes, *hen* annwyd."

★ ★ ★

Am ryw reswm, wn i ddim pam chwaith, roedd Joseph James wrth ei fodd yn adrodd straeon yn sôn am rywrai wedi cael peint neu ddau yn ormod pan oedd e yng nghwmni gweinidogion eraill. Gan amlaf wrth seiadu uwchben paned o de yn y festri adeg rhyw Gyrddau Pregethu neu Gymanfa. Ceisio procio rhywfaint o barchusrwydd capelyddda efallai. Dyma un o'i berlau:

Roedd e wedi mynd am dro heibio i dafarn y Bush sy'n sefyll ar ei ben ei hun y tu allan i bentre Llandysilio. Roedd hi'n dechrau nosi ond heb fod yn gwbl dywyll chwaith. Nid oedd lampau'r Bwrdd Trydan wedi dod i oleuo'r ardal yr adeg honno.

Wrth iddo fynd heibio'r dafarn dyma ddyn yn dod allan drwy'r drws a mynd yn syth ar ei ben i'r clawdd yr ochr arall i'r ffordd.

"Mae'n noson dywyll," meddai Joseph James. "D'ych chi ddim yn gweld yn dda?"

"Wdw," meddai'r dyn, "dw i'n gweld yn iawn. Ond dw i'n methu mynd y ffordd dw i'n gweld!"

★ ★ ★

Dyma un arall o anecdotau Joseph James. Y tro hwn wedi mynd am dro heibio tafarn yr Iron Duke yng Nghlunderwen oedd e. Noson rewllyd ganol gaea oedd hi a'r lleuad lawn fel rhyw lygad mawr yn gwylio yn yr awyr bygddu uwchben.

Camodd rhyw ddyn allan o'r dafarn. Roedd e'n simsan iawn ar ei goesau. Safodd gan edrych i fyny ac yngan mewn llais bloesg, "Leuad fach, unwaith y mis rwyt ti'n llawn. Dw i'n llawn bob nos!"

Tafarn fach gymdogol iawn, yn ôl yr hanes, oedd Y Bont yn Llanglydwen. Dyn annwyl iawn oedd yn cadw'r lle.

Un prynhawn llethol o dwym yn yr haf daeth fflyd o dwristiaid o rywle i lenwi'r bar. Dieithriad o Loegr wedi dod i chwilio am ryfeddodau Dyffryn Taf, siŵr o fod.

Yn rhyfedd iawn fe ddaeth haid o gylion o rywle i hedfan o gwmpas y lle. Roedd rhai hyd yn oed wedi llwyddo i fynd i wydrau'r cwsmeriaid ar y byrddau bach a boddi yn y cwrw.

Wedi dechrau cael llond bol ar bethau, gofynnodd un o'r criw i'r tafarnwr, "Where did you get all these flies from?"

Ei ateb sydyn oedd, "They're exactly the same as you buggers. They're all over the place in summer, and in winter I don't see them at all!"

* * *

Mae 'na stori lên gwerin yn yr ardal am hen lanc oedd yn hoff iawn o'i beint. Wedi diwrnod caled o waith, yn y dafarn leol roedd e'n byw a bod tan ei bod hi'n stop tap.

Un noson, roedd e wedi yfed mwy nag arfer ac yn bur sigledig ar ei goesau. Roedd ei ffordd adre yn mynd heibio Eglwys y Plwyf a gwelodd ei gyfle i gymryd *short cut* drwy'r fynwent i arbed tipyn o waith cerdded.

Fel mae'n digwydd roedd 'na fedd newydd ei dorri yn y fynwent y diwrnod hwnnw ar gyfer angladd ymhen deuddydd. Doedd dim caead wedi ei ddodi drosto. Gan ei bod hi'n noson dywyll, a'r dyn yn ei feddwdod yn methu gweld yn iawn, fe gwympodd i mewn i'r bedd gwag a chysgu yno drwy'r nos.

Fe ddihunodd yn gynnar yn y bore wedi sobri tipyn. Sylweddolodd ar unwaith fod pridd o'i gwmpas ymhobman.

"Wel," meddai wrtho'i hun, "mae'n ymddangos 'mod i mewn bedd yn rhywle."

Cododd ar ei draed a'i godi ei hun gyda'i ddwy benelin yn ddigon uchel i weld allan. Gwelodd fod cerrig beddau o'i amgylch a gwaeddodd ar dop ei lais, "O Dduw, mae dydd yr atgyfodiad wedi dod, a finne wedi 'ngadel ar ôl!"

★ ★ ★

Roedd 'na un dafarnwraig oedd braidd yn gyndyn ar y geiniog. Cafodd syniad da sut i chwyddo incwm y til. Wrth gyflenwi'r cwrw casgen i'r cwsmeriaid penderfynodd beidio llenwi'r gwydrau hyd yr ymyl. Onid oedd gadael rhyw chwarter modfedd heb ei lenwi ym mhob gwydryn yn sicrhau hanner peint ychwanegol iddi i'w werthu cyn pen fawr o dro? Roedd mynychwyr y dafarn wedi sylweddoli hyn ers tro byd ond doedd gan yr un ohonyn nhw ddigon o blwc i ddweud wrthi yn ei hwyneb.

Un prynhawn, galwodd rhyw wàg yn y dafarn nad oedd yn hidio botwm corn am neb. Roedd e wedi clywed y si hefyd am y cynilo wrth lenwi'r gwydrau. Gofynnodd am beint o gwrw casgen. Wedi derbyn ei archeb ar y bar sylwodd nad oedd y gwydryn yn llawn hyd y fil a gofynnodd i'r wraig groesawgar,

"Y'ch chi'n meddwl eith wisgi fach ar ben hwnna nawr?" (Mae hi'n arferiad gan rai diotwyr i gael gwydryn bach o ddiod gadarn yn gymysg â pheint o gwrw.)

"Wrth gwrs," oedd yr ateb.

"Wel," meddai'r dyn yn gwbl ddidaro, "llenwch e lan â chwrw, os gwelwch chi'n dda!"

Roedd Wil Torrwr Beddau yn enwog am ei gyflymdra yn claddu'r arch yn ddiogel yn y pridd. Yn wir, roedd e wedi gorffen ei waith yn fynych cyn i'r galarwyr glirio o'r fynwent.

Un tro, fe ddaeth hi i gawod sydyn o law taranau pan oedd yr angladd yn gorffen ar lan y bedd a phawb yn ei baglu hi i rywle nerth ei draed.

Mae'n arferiad gan rai pobol yn ein hardal ni i fynd am lasaid neu ddau i wlychu'r whît cyn troi adre o gynhebrwng. Roedd y dafarn ryw ddwy filltir o'r fynwent.

Y tro hwn, cyn i'r dynion wrth y bar gael amser i godi'r gwydryn oddi ar y cownter, pwy ddaeth i mewn drwy'r drws ond Wil Torrwr Beddau.

"Wyt ti ddim wedi'i gladdu fe mor glou â hyn eriôd?" meddai un dyn mewn tipyn o syndod.

"Wdw," oedd yr ateb swta.

"Wyt ti'n siŵr nawr, bo ti wedi ei gau e'n saff?"

"Wdw."

"Cofia di," meddai rhywun arall, "fe ddaeth Iesu Grist mas o'r bedd."

"Hy!" meddai Wil. "Nid fi gladdodd Iesu Grist!"

* * *

Dyn byr, dibriod yn gwisgo mwffler coch am ei wddf o hyd oedd Edgar y Lodor. Doedd e ddim yn mynychu tŷ tafarn yn aml, ond roedd e'n hoff iawn o'r cwrw serch hynny.

Mae hi'n arferiad gan ffermwyr yr ardal i facsu cwrw cartre ar gyfer diwrnod ocsiwn. Fe fyddai digon ar gael yn rhad ac am ddim i bawb ymhell cyn i'r ocsiwniêr ddechrau gwerthu. Roedd hi'n arferiad hefyd i facsu cwrw cryf. Y canlyniad oedd fod y prisiau yn tueddu i fynd yn uchel wedyn.

Roedd Edgar wedi mynd i ocsiwn ffarm Garntwrne rhwng pentre Treamlod a phentre Treletert ac wedi yfed mwy na'i wala. Ac, yn wir, fe brynodd boni ac ebol gan feddwl ei fod wedi prynu anner a llo. Pan aeth e draw i'r ffarm y bore wedyn i'w casglu fe gafodd sioc ei fywyd!

Ceisiais grynhoi'r digwyddiad mewn pennill talcen slip:

Aeth Edgar y Lodor i ocsiwn Garntwrne,
Fe feddwodd yn jogel, a dyna i chi dro,
Fe brynodd hen boni a llymryn o ebol
Gan feddwl ma'r fargen oedd anner a llo!
Mae 'na wers o hyd i'r dynion sy'n meddwi,
So nhw'n credu'i lliged 'rôl iddyn nhw sobri.

* * *

Tŷ annedd yw Eden heddiw yn sefyll ar groesffordd pum heol rhwng pentre Llan-y-cefn a phentre Llangolman. Ond tafarn ydoedd Eden cyn iddi gau ei drysau tua chanol y ganrif ddiwethaf. Rhyw filltir o'r fan hon hefyd saif capel hynafol Rhydwilym. Roedd 'na weinidog yno unwaith oedd yn bur hoff o'i beint. Yn wir, yn Eden roedd e'n byw a bod.

Ymhen amser fe aeth rhai o'r aelodau i deimlo'n anghysurus ynglŷn â hoffter eu gweinidog o'r ddiod feddwol. Galwyd cwrdd eglwys yn y festri i drafod y broblem ac fe ddaeth rhyw hanner cant o'r aelodau ynghyd gyda'r bwriad o naill ai ei ddisgyblu neu, efallai, ei "droi allan" o'i fugeiliaeth yn Rhydwilym. Ond fe ddaeth si i glustiau'r gweinidog am y cyfarfod ac fe aeth yno ei hun gan eistedd fel arfer yng nghadair y cadeirydd.

Pan welodd y pwyllgor petrus fod y "gŵr drwg" ei hun yn eu plith, doedd gan yr un ohonyn nhw ddigon o wyneb i sôn gair am y peth. Aeth hanner awr heibio o ddistawrwydd llethol. Ond yn reit sydyn, dyma'r gweinidog yn codi ar ei draed, yn tynnu ei watsh allan o boced ei wasgod gan edrych ar yr amser a dweud, "Gyfeillion, fe gawn ni orffen drwy ganu'r emyn 'Yn Eden cofiaf hynny byth'!

Canodd y gynulleidfa gydag arddeliad ac ni feiddiodd neb sôn am y cwrw byth wedyn.

* * *

Mae bar tafarn Llwyncelyn, Cwmgwaun, yn enwog am straeon diddorol. Blas y pridd, mewn mwy nag un ystyr, sydd i lawer ohonynt. Beth am hon?

Cybydd o'r iawn ryw oedd Ianto. Bu'n ddarbodus iawn o'i arian ar hyd ei oes. Ei fwynhad mawr oedd darllen ei ddatganiadau banc a gweld y ffigurau'n tyfu fel mwshrwms. Nododd yn glir yn ei ewyllys fod hanner cant o bapurau decpunt i'w rhoi yn ei arch i fynd gydag e i'r ochr draw hefyd.

Ar ddydd ei gynhebrwng aeth y trefnydd angladdau i'r parlwr ar ei ben ei hun i sgriwio caead "y bocs" yn ei le cyn cychwyn ar y daith i'r fynwent.

"O, 'na biti," meddai'n dawel bach, "bod yr holl gyfoeth 'ma'n mynd i'r pridd i bydru."

Cafodd syniad ardderchog. Cydiodd yn y papurau decpunt i gyd a'u stwffio i'w bocedi. Wedyn, tynnodd ei lyfr siec o'i waled ac ysgrifennu siec am fil o bunnoedd i'r ymadawedig. Caeodd gaead yr arch yn saff. Does neb yn gwybod beth a ddigwyddodd yr ochr draw!

# CYFARCHION IACH

Beth sy'n well na thafodiaith i gyfleu doniolwch? Un o uchafbwyntiau'r noson deyrnged a gynhaliwyd ym Maenclochog ar ôl imi wisgo'r Goron yn Eisteddfod Genedlaethol Abertawe oedd penillion teyrnged WR Evans. Er mwyn esbonio'r cynnwys efallai y dylwn nodi mai'r Prifardd Jâms Nicholas oedd prifathro Ysgol y Preseli pan oeddwn yn athro yno a dweud hefyd fy mod i a Maureen wedi priodi y flwyddyn cynt.

CYFARCHION I EIRWYN
Wedd e'n ddigon diwedwst obiti'r lle.
Hen gwnsel y claw, weden i, wedd e;
I liged e'n crwydro, chi, draw imhell,
Fel 'ta fe'n gweld cisgod o bethe gwell.
Ie, whilgrwt o'r Twffton a'i gaib a'i raw
In ffarmo in ddismol ing nghanol y baw,
A gweud wrth'i hunan, "Wel jawch ariôd,
Gobeithio bo rhwbeth amgenach i ddod."

A wedyn fe'i baglodd hi bant sha'r coleg
I stydio Cwmrâg, chi, a pheth Seicoleg.
O'r ithin a'r brwyn a'r geletsh a'r gromlech
I fwrw'i brentisheth in Coleg Harlech.

Wedi nithio Aneirin a Hergest in ewn
Dath mas â B.A. fowr ar gwrês 'i gewn.
Fe dreiodd 'i law ar fod yn sgwlyn
In Isgol Arberth ar bwys Penblewyn.
Wedd e'n crinu tipyn pan wên i'n dwâd rownd.
Ma crinu'n naturiol i brentish, sownd.
Ac wedi ca'l tipyn o'r Down Below
Cas fynd lan at Jâms i Preseli Row.
Wên nhw'n tinnu'n dda, chi, wên pentigili,
We'r ddou in breuddwydio 'run pryd, 'da'i gily.
A wy'n siŵr mai fan'ny wrth freuddwydio'n llawen
Y cas Eirwyn gyfle i roi ffrwyn i'r awen.
Ond peidwch anghofio, in eno'r dyn,
Y cwthwm isbridieth a ddath wrth Maureen.
Wath ma pethe rhifedd in digwydd i'r awen
Pan bo dyn in gwasgu in erbyn 'i gwannen,
Ac effeth y gwasgu a'r glegen, on'd taw e
We ennill y Goron yn Abertawe.

We dinion Shir Bemro fel tacle dwl
I'n gweiddi a pwsho, chi, shwl-di-mwl,
We'r hen Shir i gyd in 'i ddilyn e
In ombeudus o falch, chi, we we, we we.

WR Evans

# WIL A SHEMI

Pencampwr y stori dal yn ardal y Preseli oedd Wil Canan. Clocsiwr o gyffiniau Rhydwilym ydoedd a chadwai dyddyn bach hefyd i helpu cael dau ben llinyn ynghyd. Dyma un o'i straeon y bu llawer o adrodd arni yn y gymdogaeth:

Un dydd o ha' bach Mihangel penderfynodd Wil fynd allan i saethu am ychydig o hwyl. Tarodd ar syniad gwreiddiol iawn. Aeth â llond poced o gnau bychain gydag e i'w defnyddio yn lle catrish yn ei ddryll. Wedi iddo gerdded am ychydig gwelodd asyn yn pori'n hamddenol ynghanol y cae a phenderfynodd roi cynnig arni i weld sut oedd y catrish newydd yn gweithio. Dododd y gneuen yn ei lle ym môn y baril a saethu'r asyn rhwng ei ystlys a ffolen ei ben ôl. Daliodd y creadur i bori yn ei unfan fel petai dim wedi digwydd ac aeth Wil adre'n hapus heb feddwl mwy am y peth.

Rywbryd yn ddiweddarach aeth allan am dro eto i'r un cyffiniau. Gwelodd yr un asyn eto'n pori yn y cae a chafodd dipyn o sioc o weld coeden gnau uchel wedi tyfu ar ei gefn. Yn wir, roedd hi'n estyn i fyny uwchlaw'r cymylau. Roedd hi'n pwngo o gnau hefyd. Aeth Wil adre i nôl bwced a dechreuodd ddringo'r goeden i gasglu'r cynhaeaf toreithiog.

Roedd e wedi cyrraedd y top cyn pen fawr o dro a chafodd dipyn o syndod eto o weld hen wreigan yn eistedd ar ben cwmwl wrthi'n brysur yn nithio ŷd. Roedd hi'n garedig iawn a chynigiodd baned o de iddo. Wedi mwynhau paned gyda'i gilydd cawsant sgwrs ddiddorol am y byd a'i bethau. Ond, pan edrychodd Wil i lawr tua'r ddaear, fe gafodd ddychryn ofnadwy. Roedd yr asyn wedi symud. Wrth gwrs, roedd y goeden wedi symud gydag e hefyd! Sut yn y byd oedd e'n mynd i ddychwelyd i'r ddaear?

"A!" meddai'r wreigan. "Fe wna i raff wellt i ti gydio ynddi ac fe wna i dy adael di lawr yn ara deg."

Felly y bu. Ond cyn iddo gyrraedd y llawr fe dorrodd y rhaff a disgynnodd Wil bendramwnwgl i'r ddaear a'i ben wedi ei ddal yn sownd rhwng dwy garreg fawr.

Roedd e'n gorffen y stori o hyd drwy ddweud, "Fe es i adre ar unwaith i mofyn caib i'w dynnu'n rhydd. Ond erbyn i mi ddod 'nôl roedd y brain wedi tynnu'n llyged i mas!"

Un arall o feistri'r stori dal yn Shir Benfro oedd Shemi Wâd – hen lanc yn byw ar ei ben ei hun ym mhentre Wdig. Arferai stelcian byth a hefyd ar gornel Rhiw'r Post heb fod nepell o'i gartre i adrodd straeon anghyffredin wrth bawb oedd yn mynd heibio, yn ogystal â difyrru cwsmeriaid y tafarnau lleol gyda'r nos â hanesion o bob math.

Stori dda oedd honno'n sôn amdano wedi tyfu taten fawr yn ei ardd ac oherwydd ei maint bu'n rhaid iddo alw bois y chwarel yno i'w ffrwydro'n ddarnau cyn y medrai ei symud o'r fan.

* * *

Stori dda hefyd oedd honno'n sôn amdano'n dal sewin wrth bysgota yn yr aber. Daeth crëyr glas o rywle i hedfan yn isel a llyncu'r pysgodyn a'r bachyn gyda'i gilydd. Cafodd Shemi ei godi o'r llawr, ei ddwylo'n gafael yn y wialen a'i goesau'n hongian yn yr awyr, i'w gludo ar draws y môr a'i ollwng ar un o draethau Iwerddon.

Dechreuodd boeni sut yn y byd y medrai fynd yn ei ôl i Shir Benfro. Digwyddodd weld cranc mawr yn sefyll ar y traeth a mentrodd neidio ar ei gefn. Yn wir i chi, fe ddechreuodd hwnnw nofio ar draws y môr i adael ei farchog blinedig ar y traeth yn Wdig. Ond bu'r siwrnai'n ormod i'r cranc druan a bu farw yn y fan a'r lle. Aeth Shemi ati i'w dorri'n ddarnau a chafodd bryd blasus o gig i ginio am wythnos gyfan. Defnyddiodd y gragen hefyd i roi to newydd ar ei gwt mochyn yn mhen draw'r ardd!

Ond ei stori fawr, heb os nac oni bai, oedd honno'n sôn amdano'n mynd am noson o sbri o gwmpas tafarnau Milffwrt. Gwariodd pob dime oedd yn ei boced ac nid oedd ganddo arian i dalu am lety yn unman nac unrhyw ffordd i ddychwelyd adre chwaith. Roedd hi'n diwel y glaw hefyd.

Gwelodd hen ganon mawr yn gorwedd yn segur yn yr harbwr a meddyliodd y gwnâi hwnnw wely'n iawn iddo dros nos. Gwthiodd ei hun i mewn i orwedd ar hyd y baril haearn, ei draed yn gyntaf a'i ben yn anelu at yr awyr agored. Cysgodd fel twrch.

Fel mae'n digwydd, roedd hi'n arferiad i danio'r canon bob bore i atgoffa gwylwyr y glannau ei bod hi'n bryd iddyn nhw fynd at eu gwaith. Y canlyniad oedd, wrth gwrs, i Shemi gael ei saethu drwy'r awyr, *head first,* i gyfeiriad y gogledd. Wedi iddo fynd drwy haid o ddrudwns wedi codi'n fore a llwyddo i osgoi tŵr eglwys yn rhywle o drwch blewyn yn unig, fe laniodd yn solet ar ei draed ar lanfa bad achub Pen Cŵ. Roedd e o fewn tafliad carreg i'w gartref!

Fe fyddai Shemi ei hun yn cyfadde ei fod e'n lwcus y diwrnod hwnnw. Ond roedd e'n siŵr o orffen y stori drwy ddweud, "Os nad y'ch chi'n credu, mae ôl 'y nghlocs i yn y fan lle landes ar y ddeiar yn dal 'na hyd y dydd heddi. Wên nhw newydd smento'r lle ar y pryd!"

# MWY O GELWY GOLE

Ond gwell gen i straeon mwy agos-atoch-chi, straeon cartrefol eu naws, a straeon sy'n hawdd amgyffred yr hyn sy'n digwydd.

Clywais Nhad yn sôn llawer am Tom Pantmeinog, hen lanc oedd yn ffermio tyddyn bach ar gyrion pentre Rosebush. Roedd ganddo geffyl anghyffredin iawn. Rhyw fath o gobyn Cymreig oedd e ond bod ei glustiau'n hongian dros ei fochau 'run fath â chlustiau sbaniel. Bu llawer yn holi Tom beth a ddigwyddodd iddo. Ond yr un fyddai'r stori bob tro. Yr adeg honno, medde fe, roedd llawer o ddefaid yn cael eu lladrata o'r mynydd o bryd i'w gilydd. Ni ddaliwyd y lladron erioed. Roedd awyrennau ar eu taith i rywle yn hedfan yn isel ar adegau, a mynnai Tom mai pobol yr awyrennau oedd yn cipio'r defaid.

Dywedai gyda sicrwydd yn ei lais ei fod yn pwyso ar iet y clos un bore yn edrych ar y ceffyl yn pori'n hamddenol ar ganol y cae o flaen y tŷ. Yn sydyn, daeth awyren dros y gorwel gan hedfan yn araf ac yn isel iawn. Plygodd dau ddyn allan ohoni a chodi'r ceffyl gerfydd ei glustiau.

"Mae'n rhaid 'i fod e'n rhy drwm iddyn nhw 'i godi fe miwn," meddai, "achos fe garion nhw fe ar hyd y ca' a'i adel e i gwmpo ar y ddeiar. A wyddoch chi beth? Ma'n rhaid bod 'i gluste fe wedi cael eu rhyddhau wrth iddo ga'l i gario achos ma nhw'n hongian fel cluste sbaniel byth oddi ar y diwrnod hwnnw!"

⋆ ⋆ ⋆

Clywais Nhad yn sôn llawer hefyd am gymeriad a adwaenid wrth yr enw Jac Celwy Gole. Roedd e'n bur nodedig am ei straeon amheus.

Yr adeg honno roedd pob ffarmwr yn cadw dryll i saethu'r brain oedd yn ymhel â'r rhychiau tatws ac yn lladrata yn yr ydlan ar bob cyfle. Roedd saethu'r cwningod oedd yn bwyta'r egin llafur ar eu ffordd drwy'r pridd hefyd yn beth cyffredin, yn ogystal â sicrhau ambell gwningen yn bryd o fwyd i swper.

Unwaith, pan oedd criw o gymdogion yn helpu ei gilydd gyda'r cynhaea gwair, fe aeth hi'n sgwrs ynglŷn â gwahanol fath o ddrylliau. Dywedodd un o'r dynion, yn ddigon bragllyd hefyd, iddo saethu cwningen hanner canllath o bellter oddi wrtho gyda dryll twelf bôr.

"Dyw hynna'n ddim byd, achan," meddai un arall. "Dw i wedi saethu cwningen yn sefyll canllath o sgidie 'nhra'd i sawl gwaith."

Ni bu Jac Celwy Gole yn hir cyn rhoi'i big i mewn.

"Bois bach," meddai, "a weloch chi'r dryll 'na sy

gyda Mathias Penucha'r-dre? Ma hwnnw'n medru saethu llawer pellach na hynna. Fe weles i fe â llyged 'yn hunan yn saethu cwningen bymtheg milltir o'r fan lle roedd e'n sefyll. Do, ar f'ened i."

Roedd hyn yn fwy na allai rhai o'r dynion ei lyncu a dyma un ohonyn nhw'n gofyn iddo, "Wel, sut yn y byd cafodd e'r wningen honno 'nôl, 'te?"

"O," meddai Jac, "fe halodd e'r milgi i'w mofyn hi, ac roedd hi yn ei ddwylo fe cyn pen pum munud."

Mae'n rhaid imi gyfadde mai'r math o stori gelwydd gole sy'n apelio ata i yw stori sy'n sôn am rywbeth *allai* fod wedi digwydd, ond ei bod hi'n anodd iawn gyda ni gredu ei fod *wedi* digwydd.

Roedd 'na ddau ddyn yn sgwrsio ar sgwâr Crymych ac un yn dweud wrth y llall,

"Ma' ci da gyda fi. Ci defed yw e. Mae e'n mynd i bostio llythyr i fi bob bore. Dw i'n rhoi'r amlen iddo a mae e'n mynd â hi yn 'i ben yr holl ffordd lawr i'r Swyddfa Bost a'i rhoi hi mewn yn y *letter box* cyn dod 'nôl. Ond un bore, dyma'r ci yn dod 'nôl â'r llythyr heb ei bostio. Rown i wedi anghofio rhoi stamp ar yr amlen!"

"O," meddai'r dyn arall, "mae ci 'da fi sy'n llawer mwy clefer na hynna. Ci defed yw hwnnw hefyd. Mae e'n mynd i nôl y gwartheg i'r clos ar gyfer 'u godro am hanner awr wedi pedwar bob prynhawn. Mynd heb bo' neb yn gofyn iddo. Ac mae e'n dod â bob buwch i'r clos am hanner awr wedi pedwar ar ben y funud. Mae e fel pe bydde watsh gydag e.

Un prynhawn dyma'r ci yn dod â'r gwartheg i'r clos fel arfer ac yn mynd i rywle ar unwaith wedyn. Fe es i glymu'r gwartheg yn y glowty ac, yn wir, roedd 'na un fuwch ar goll. Es i mas i'r parc i weld a wedd hi'n methu codi neu rywbeth. Na. Doedd dim sôn amdani. Fe es i edrych ar y ffens wedyn rhag ofn 'i bod hi wedi mynd dros ben claw' yn rhywle. Na, we'r ffens yn gyfan ym mhobman hefyd. Fe benderfynes fynd ati i odro cyn mynd i chwilio amdani yn rhywle arall. Ond, yn wir, pan own i bron â gorffen dyma'r ci yn dod â'r fuwch. Wedd e wedi sylwi 'i bod hi'n wasod ac wedi mynd â hi i'r ffarm drws nesa at y tarw!"

Wel, wrth glywed stori fel 'na mae'n rhaid ei chymryd hi gyda phinsiad o halen.

# YMSON CROGWR AC UN A GROGIR

*Crogwr:*
Tyred, daeth awr gweithredu;
Hyn yw deddf y capan du.

*Un a grogir:*
Dieuog wyf, ac nid gŵr
Heb wyrni oedd y barnwr.
Mewn ffeit y lleddais, mae'n ffaith,
Hen afr o fam yng nghyfraith.

*Y Crogwr:*
Awn ar streic, mae gen i ers tro
Un rwy heb ei rhoi heibio!

Tomi Evans ac Idwal Lloyd
(Tîm y Preselau ar *Dalwrn y Beirdd*)

# Y BUSNES CYFIEITHU 'MA

Mae ceisio cyfieithu priod-ddulliau o'r Gymraeg i'r Saesneg weithiau'n medru bod yn ddoniol iawn. Nid digrifwch bwriadol chwaith.

Rwy'n cofio ffarmwr o'n hardal ni flynyddoedd yn ôl oedd wedi magu'r arfer o ddweud, "Drychwch 'ma, peidwch chwerthin am 'y mhen i nawr" wrth gychwyn adrodd rhyw stori oedd yn swnio braidd yn amheus. Ceisio darbwyllo'r darllenydd ei fod yn llygad ei le.

Pan ddywedodd wrth Sais uniaith o dde'r sir oedd newydd ddod i fyw i'r ffarm nesaf ato, "Look here, don't laugh about my head now", edrychodd hwnnw arno'n syn a dweud,

"I can't see anything wrong with your head, man."

Nid yw cyfieithu'r geiriau'n gwneud y tro bob amser.

★ ★ ★

Cefais fy ngeni a'm magu mewn ardal oedd yn gwbwl Gymraeg ei hiaith y dyddiau hynny. Pan euthum yn fyfyriwr i Aberystwyth, wedi bod yn gweithio gartre ar y ffarm am flynyddoedd, roedd fy Saesneg innau'n ddigon bregus hefyd.

Un bore, rywbryd yn ystod fy nhymor cyntaf yn y coleg, fe es i a Wil fy mhartner allan am baned o goffi mewn caffi cyfagos gan fod seibiant o chwarter awr rhwng dwy o ddarlithiau'r bore. Wedi inni eistedd a'n cefnau at y wal wrth y bwrdd pellaf yn y gornel fe ddaeth tri Sais i mewn i eistedd gyferbyn â ni. Wedi inni fod yno am ysbaid edrychais ar fy watsh a dweud wrth Wil, "Mae'n well inni fynd, neu fe gollwn ni ddechrau'r ddarlith nesa."

Wedi imi godi sylwais nad oedd lle i mi fynd heibio'r bechgyn a gofynnais iddynt yn ddigon cwrtais, "May I pass out, please?"

Edrychodd y tri arnaf yn eitha syn a dywedais yn eitha awdurdodol y tro hwn, "I want to pass out."

Wel wir i chi, fe agorodd y tri eu llygaid fel soseri heb ddweud gair. Collais f'amynedd yn llwyr. Dywedais yn ddigon haerllug, "I am going to pass out" gan wthio heibio iddynt tua'r drws.

Wedi cyrraedd allan roedd Wil yn sefyll ar y pafin yn ei ddyblau'n chwerthin.

"Wst ti be?" meddai. "Mae *pass out* yn Saesneg yn golygu dy fod ti'n llewygu." Rown ni'n methu â chredu'r peth!

* * *

Rwy'n cofio'n dda hefyd pan oeddwn yn gweithio

yn Llyfrgell yr Wyddgrug fel rhan o brofiad gwaith y cwrs yng Ngholeg Llyfrgellwyr Cymru. Roeddwn yn lletya yn nhre Rhuthun ac yn rhoi lifft yn fy nghar bob dydd i Gillian Evans, merch ddi-Gymraeg o Gaerdydd oedd yn rhannu'r un cwrs â mi. Mis Ionawr oedd hi, tywydd o rew caled a'r dydd yn fyr iawn.

Un prynhawn, wrth adael Yr Wyddgrug tua phump o'r gloch, roedd hi'n dechrau nosi. Yn Gymraeg fe fyddwn ni'n dweud ei bod hi rhwng dau olau ac, wrth gwrs, mae'n fwy anodd gyrru car rhwng dau olau na phan fydd hi'n olau dydd neu ar ôl iddi dywyllu. Wrth droi'r frawddeg yn fy meddwl a cheisio ei chyfieithu i'r Saesneg dywedais wrth Gill, "It is difficult to drive between two lights."

"Yes," atebodd y ferch ar ôl iddi edrych drwy'r ffenest, "the lamp-posts are a bit far apart, aren't they!"

Rhaid bod yn ofalus wrth gyfieithu priod-ddulliau!

* * *

Bûm yn athro yn Ysgol Uwchradd Arberth yn dysgu Cymraeg fel ail iaith ar ôl gadael y coleg. Unwaith, roedd un bachgen yn achosi trafferth yn ystod y wers a dywedais wrtho, "Go out through that door" i gael gwared arno o'r dosbarth.

Atebodd y bachgen yn gwbl foneddigaidd, "I can't

go out through the door, sir. I'll have to open the door first."

Dyna lorio'r athro reit i wala, ontefe?

★ ★ ★

Bûm yn lletya yn nhre Arberth hefyd pan oeddwn yn ddisgybl yn yr Ysgol Ramadeg. Roedden ni yn bedwar o fechgyn, yn aros gyda'n gilydd yn yr un lle. Pobol annwyl iawn oedd yn cadw'r llety – gŵr a gwraig oedrannus a'u merch ddibriod oedd tua'r canol oed. Efallai eu bod nhw'n tueddu i orbwysleisio glendid. Y tu allan i garreg y drws roedd 'na fat i sychu ein traed cyn mynd i mewn i'r tŷ, mat arall yn y cyntedd, a mat arall eto y tu mewn i ddrws y cyntedd yn y coridor cul oedd yn arwain i'r stafell fyw.

Ar ôl dod adre o'r ysgol un prynhawn ac eistedd wrth y bwrdd i gael y paned te arferol doedd un o'r bechgyn ddim wedi sychu'i draed yn ddigon glân wrth fodd y ferch a dywedodd wrtho yn ddigon sarrug,

"Please go out again and wipe your feet on the mat before you come in this time."

Cododd y bachgen ac wedi iddo fynd allan i'r pafin tynnodd ei sgidiau a'i sanau a dod i mewn y tro hwn yn droednoeth. Gwylltiodd y ferch a dweud wrtho eto,

"Look here, I didn't tell you to take your shoes and socks off. All I told you to do was to wipe your feet on the mat."

Atebodd y bachgen yn gwbl dawel, "I would have to take my shoes and socks off before I could wipe my *feet* on the mat."

* * *

Noson o wanwyn cynnar oedd hi, heb dywyllu'n iawn, pan oedd un o gwsmeriaid y Maes Carafanau yn llwytho'i fasged wrth gownter Siop Rhoslwyn yn Rosebush. Sais uniaith o rywle oedd e, yn bwrw wythnos yn nhawelwch y bryniau ar drothwy'r Pasg.

Daeth un o hen gymeriadau'r pentre drwy'r drws a dweud wrtho ar ei union, "The days are stretching."

Edrych yn ddryslyd a wnaeth y dyn wrth y cownter a cherdded allan.

Onid ein hymadrodd naturiol ni yw, "Mae'r dyddiau'n dechrau ymestyn"?

Da chi, peidiwch â llurgunio ein priod-ddulliau wrth geisio eu cyfieithu!

# Y GÂN GOCOS

Mae cyfansoddi Cân Gocos yn gystadleuaeth boblogaidd iawn mewn ymrysonau a thalyrnau fel ei gilydd. Ceisio pentyrru odlau o bob math yw un o'i phrif nodweddion ac mae'r mesur ynddo'i hun yn gyfrwng effeithiol i gyfleu digrifwch.

BORE'R NADOLIG
Ar fore'r Nadolig
Does dim ffiars o beryg
Er yr oerfel a'r barrug
Imi gysgu'n llwyr
Nac yn hwyr.

Nid y larwm swyddogol
Sy'n drilio'n feunyddiol
Sy'n fy ngalw fel rheol,
Ond larwm a'i draw
Yn uchel ar naw
O'r llofft nesa draw
Sy'n gweiddi'n ddi-draw,
"Dadi, cod,
Mae Siôn Corn wedi bod."

A dyna fawd fy nhrôd
Yn glatsh i'r comôd
A wir, mae hi'n bedlam
A'r gegin fel seilam.
A dacw hosan ar led
Dros y pot marmalêd
Hôm mêd.

Dyma James Bond a'i Gapri
Dros gynffon y ci.
Rwy'n dweud wrthoch chi
Mae hi off yn tŷ ni.
Mae'r wraig wrthi'n stwffo
Hyd ei gwddwg mewn Paxo.
Oes eisiau'r fath lol
A llwyth fel llond trol
I lenwi bol?

Wrth orffen dros dro
Ga' i ddweud gydag o
Mistar Tryc giaffar go –
*Too much*, hwnna 'di o!

TR Jones

# Y GAIR OLA

Mae gan rai pobl y ddawn gynhenid i gau pen rhywun gydag un sylw deifiol a byrfyfyr. Dod o hyd i'r ateb parod neu fynnu'r gair olaf sy'n rhoi pen ar y mwdwl yn y fan a'r lle.

Rwy'n cofio un o steddfodau Maenclochog flynyddoedd yn ôl. Roedd y neuadd yn orlawn a'r amser yn tynnu mla'n. Gwaith anodd iawn oedd gan y ddau ddyn yn y drws i gadw trefn ar bethau. Wrth gwrs, roedd rhai pobol eisiau dod i mewn a rhai eisiau mynd mas drwy'r amser. Dyna sut mae pethau'n gweithio mewn steddfod.

Braidd yn ddiamynedd oedd yr arweinydd ar y llwyfan. Roedd e'n gweiddi drwy'r amser, "Caewch y drws 'na. Caewch y drws 'na." Chwarae teg i'r ddau borthor hefyd. Roedden nhw'n gwneud eu gorau o dan yr amgylchiadau. Ond dal i weiddi'n ddiddiwedd a wnâi'r arweinydd, "Caewch y drws 'na. Caewch y drws 'na!"

Wedi cael llond bol ar bethau dyma un o ddynion y drws yn gweiddi 'nôl arno, "Reit-o, fe gaewn ni'r drws. A ca di dy ben!"

* * *

Pan own i'n blentyn roedd gweld ambell drampyn yn dod i ddrws y tŷ i gardota yn rhywbeth cyffredin iawn. Yn wir, roedden nhw'n dechrau mynd yn fwrn ar rai pobol. Eisiau bwyd oedd arnyn nhw yn amlach na pheidio.

Mae 'na un stori dda am gardotyn yn cnocio drws rhyw gartre yn y gymdogaeth. Pan ddaeth gwraig y tŷ i'w ateb gofynnodd yn ymbilgar iddi, "Oes 'da chi rywbeth bach i'w roi i fi i'w f'yta? Dw i bwti starfo."

"Odych chi'n lico pwdin wedi oeri?" meddai'r wraig.

"W, wdw, wdw," meddai'r trempyn wedi sirioli drwyddo.

"Dewch 'nôl fory 'te," meddai'r wraig. "Mae e'n dwym nawr."

Rywle ar yr heol gul rhwng Aber-cuch a Chilfowyr roedd ffarmwr yn gyrru yn ei gar ar ei ffordd i fart Aberteifi ar fore dydd Llun. Doedd ganddo ddim llawer o amser i'w golli chwaith.

Syndod o'r mwyaf iddo oedd gweld bachgen a merch yn gorwedd ar eu hyd ar draws y ffordd. Caru'n fore iawn am ryw reswm. Nid oedd modd yn y byd i yrru car heibio iddyn nhw heb eu taro.

Stopiodd y gyrrwr a chanu'r corn. Ni symudodd

y ddau yr un fodfedd. Gwasgodd fotwm y corn eto, ddwywaith neu dair ar ôl ei gilydd. Ond dal i'w anwybyddu a wnaeth y ddau ar y llawr.

Aeth y gyrrwr allan o'r car mewn tymer ddrwg a dweud, "Drychwch 'ma, does dim busnes 'da chi i fod fan hyn."

Cododd y bachgen ei ben a dweud wrtho'n dawel, "O, dim busnes yw hwn, ond pleser!"

★ ★ ★

Mae 'na stori dda hefyd am un wraig finiog ei thafod yn byw y drws nesaf i Gynghorydd Sir oedd yn ddyn pwysig yn y gymdogaeth. Doedd hi ddim wedi ei breintio â harddwch pryd a gwedd chwaith.

Un noson, pan ddaeth y Cynghorydd adre o'r dafarn leol wedi cael mwy na'i wala yn ei danc fe ddwedodd hi wrtho yn blwmp ac yn blaen, "Rhag eich cwilydd chi yn dod adre'n feddw fel hyn."

Yr ateb a gafodd oedd, "Mae pawb yn gweld, ac yn gwybod, eich bod *chi*'n dew ac yn hyll; ond fe fydda *i* yn sobor erbyn bore fory!"

Dyna beth oedd talu'r pwyth yn ôl.

★ ★ ★

Rwy'n cofio am un arweinydd steddfodol, arweinydd da oedd e hefyd, wedi magu'r arfer o gau ei lygad chwith wrth bwysleisio rhywbeth neu ddweud y drefn wrth rywun o'r llwyfan. Unwaith, a'r neuadd yn llawn hyd yr ymylon, roedd 'na fachgen yn mynnu siarad byth a hefyd yn y cefn. Safodd yr arweinydd ar flaen y llwyfan, gan gau un llygad wrth gwrs, pwyntio ei fys at y bachgen swnllyd a dweud, "Nawr 'te, pwy sy'n cadw sŵn yn y cefn 'na?"

Gwaeddodd y bachgen nerth ei ben, "Agor dy lygad arall a falle gweli di."

* * *

Clywais Nhad yn sôn llawer am Tom Penrallt, ffarmwr o'n hardal ni a dychanwr heb ei ail. Roedd e'n gamster hefyd ar fathu'r gair olaf ymhob dadl.

Un arall o gymeriadau'r ardal ar y pryd oedd Wncwl John. Heb fanylu ar ystyr y llysenw, digon yw dweud mai dyn dibriod o'r Rhondda ydoedd, un o'r gweithwyr a ddaeth yma i dorri coed y gelltydd ar ôl y Rhyfel Mawr a dewis aros yn y gymdogaeth wedyn am weddill ei oes. Gweithio ar rai o'r ffermydd yn ôl y galw oedd ei fara caws erbyn hyn ac, yn ôl y sibrydion, roedd e'n dipyn o botsier cwningod hefyd pan oedd pawb arall yn ei wely yn cysgu'r nos.

Un noson, roedd Wncwl John a Tom Penrallt wedi digwydd cyfarfod yn y dafarn leol. Wedi ymuno yn y mân siarad yn y bar am ychydig dyma Tom yn troi at Wncwl John a dweud wrtho, "Rown i'n gweld ôl dy hen draed di yn y bylchau 'co hefyd."

Slapen iddo am fod yn potsian. Aeth hi'n dipyn o ddadl ac Wncwl John yn haeru na fu erioed ar gyfyl ffarm Penrallt. Ond dal i rygnu arni a wnâi Tom. O'r diwedd, ac Wncwl John wedi cael llond bol ar bethau, dyma fe'n rhoi'i law ar ysgwydd Tom a dweud wrtho, "Drychwch 'ma, gadewch i'r hen gwningod fynd i uffern, nawr."

"At beth?" meddai Tom. "Wyt ti am botsian cwningod ar ôl i ti fynd lawr 'na hefyd?"

Pwy fedrai guro honna?

* * *

Roedd dyn a dynes yn anghydweld yn arw ynglŷn â rhywbeth ac fe aeth hi'n ddadl reit gecrus.

"Wel," meddai'r ddynes, "pe byddet ti'n ŵr i fi fe fyddwn i yn rhoi gwenwyn yn dy de di."

"A," meddai'r dyn, "pe byddet ti'n wraig i fi fe fyddwn i'n yfed y te hefyd!"

Da iawn, wir.

# PENILLION SMALA

DIRWY AM BARCIO

Nos cyn y Dolig, troi i'r dre,
Dim lle i barcio'r car,
Rhaid herio Herod y Stryd Fawr
A heglu tua'r bar;
A chofio wnes am helynt Mair
Yng ngwlad Jwdea gynt,
A minnau'n dathlu geni'r Mab
Â dirwy o ddeg punt!

Eirwyn George

* * *

BEDDARGRAFF GOLFFWR

Bu'n ceibio'i ffordd a'i glybia'
O'r pyllau tywod dyfna',
Gall geibio hyd nes syrthia'r sêr –
Ni ddaw o'r byncer yma.

TR Jones

* * *

TWYLL

Mor hyfryd yw gweled yr wylan
Uwch pentre Llandudoch yn hedfan,
Ond o, *damn it all,*
Mae twll ei phen ôl
Reit owt o'control wedi'r cyfan.

Reggie Smart

* * *

BEDDARGRAFF CASGLWR TRETHI

Fel casglwr trethi'r ardal
Demandodd yn ddiatal,
Ond yn ddirybudd, cafodd ef
Ddemand o'r Nef – y ffeinal.

Alice Evans

* * *

CAMGYMERIAD

Nos Sul, aeth rhywun heibio
Drwy'r gwyll ar ffordd Treteio,
"Nos da," medd Sam. "Chi'n mynd i'r cwrdd?"
Cyn gweld mai hwrdd oedd yno.

Eirwyn George

# ESBONIADAU

Tua diwedd chwedegau'r ganrif ddiwethaf fe benderfynodd Bwrdd yr Orsedd fod yr Arwyddfardd yn arwain yr orymdaith ar gefn ceffyl yn seremonïau Cyhoeddi'r Eisteddfod a hefyd yn y seremonïau awyr agored ar fore dydd Mawrth a dydd Iau'r Brifwyl. Dillwyn Miles oedd yr Arwyddfardd ar y pryd a phrynwyd ceffyl hela gosgeiddig ar gyfer y gwaith. Yn ôl un tynnwr coes fe fyddai Barry (dyna oedd enw'r ceffyl) yn aelod anrhydeddus o'r Orsedd am weddill ei oes! Ymateb cymysg a gafodd y penderfyniad gan eisteddfodwyr yn gyffredinol a chlywyd cwpled clo englyn "Prentis" a ymddangosodd yn y *Cymro* yn cael ei ddyfynnu'n aml ar lafar gwlad.

Ac yn ei rôb gwyn, yr hybarch
Dillwyn Miles yn dilyn march.

Roedd y "marchog" i gychwyn ar ei swydd yn Eisteddfod Y Fflint 1969.

Rwy'n cofio bod yn aelod o Dîm Sir Benfro yn cystadlu yn erbyn Tîm Sir Forgannwg yn Ymryson y Beirdd yn Eisteddfod Genedlaethol Y Barri. T Llew Jones oedd yn beirniadu a'r testun a osodwyd i'r timau ar gyfer yr englyn cywaith oedd "Ceffyl yr Orsedd". WR Evans, a oedd yn ddarlithydd yng Ngholeg Y Barri ar y pryd, a ddarllenodd englyn Tîm Sir Forgannwg – englyn oedd yn bwrw golwg gellweirus ar y ddwy Brifwyl oedd i ddod:

Y gŵr ar ei nag arian – hoff o'i le
Yn y Fflint yn trotian,
O roi i'r brid wair a bran
Myn roi dom yn Rhydaman.

Er bod cynulleidfa'r Babell Lên yn chwerthin yn eu dyblau ni feddyliodd neb y byddai'r broffwydoliaeth yn dod yn wir! Ond felly y bu. Mynnu "rhoi dom" a wnaeth y ceffyl yn ystod yr orymdaith yn Rhydaman, a bu'n rhaid i'r derwyddon "oll yn eu gynnau gwynion" gerdded drwyddo ar y ffordd fawr! Ni fu sôn am geffyl yr Orsedd byth wedyn!

* * *

Pan safodd Waldo Williams fel ymgeisydd cyntaf Plaid Cymru yn Sir Benfro erioed adeg Etholiad Cyffredinol 1959 roedd ganddo dalcen caled i'w dorri a dweud y lleiaf. Cytunodd Eirwyn Charles, y canwr o Dre-fin, i fod yn drefnydd dros dro ac fe aeth DJ Williams, Abergwaun, ati i dorchi'i lewys gyda'r gwaith canfasio hefyd. Hwy oedd y triawd ymroddedig fu'n cario baner y ddraig goch ar hyd a lled y sir am wythnosau cyn yr etholiad.

Unwaith, fe drefnodd y Blaid gyfarfod cyhoeddus ym mhentre Amroth gyda'r bwriad o geisio perswadio'r etholwyr i fwrw'u pleidlais yn y lle iawn ar ddydd yr etholiad. Pan aeth Waldo, DJ ac Eirwyn Charles i mewn i'r neuadd fe gawsant dipyn o sioc. Doedd neb yno! I ddygymod â'r gwacter fe gyfansoddodd Waldo englyn yn y fan a'r lle:

I mewn heb sôn am enaid – i glywed
Y glewion wroniaid;
O Dduw! Tydi a ddywaid
Ai ni'n tri yw'r blydi blaid?

Er nad oedd yna beirianwaith effeithiol iawn gan y Blaid yn Sir Benfro y pryd hwnnw fe sicrhaodd Waldo yn agos i ddwy fil a hanner o bleidleisiau. Rown i'n un o'r dyrfa y tu allan i Neuadd y Farchnad yn Hwlffordd pan gafodd y canlyniad ei gyhoeddi a Desmond Donnelly yn cael ei ailethol i gynrychioli'r Blaid Lafur yn y senedd. Yn dilyn y canlyniad fe ofynnwyd i'r tri ymgeisydd ddweud gair o flaen y meic. Credwch neu beidio, er nad oedd Waldo yn siaradwr huawdl ar lwyfan, roedd ei anerchiad byr yn ymwneud â hau'r hedyn mwstard yn Sir Benfro yn glasur. Ef oedd yr unig un o'r tri i ddal y gynulleidfa.

Rwy'n cofio rhywun yn dweud wedyn wrth gerdded i lawr y stryd, "If I'd only have heard what that guy had to say before the election I'd have voted for him. He should be bound for Westminster today."

Byd rhyfedd yw gwleidyddiaeth.

* * *

Cofiaf yn dda amdanaf yn mynd i weld WR Evans, Trefnydd Iaith ac Arolygwr Ysgolion Sir Benfro ar y pryd, yn ei swyddfa yn Hwlffordd. Ychydig ddyddiau wedi'r Pasg oedd hi ac roedd e wedi bod wrthi'n brysur yn cyfansoddi ar gyfer rhai o gystadlaethau Eisteddfod Genedlaethol Rhydaman yn ystod y gwyliau. "Hysbyseb" oedd testun yr englyn ysgafn a dyma fe'n tynnu darn o bapur o'i boced a gofyn, "Beth wyt ti'n feddwl o hwn?"

YN EISIAU – PRIFATHRO
Un gwirion a chynffonnwr, – B.A. fawr,
A heb fod yn Bleidiwr;
Un â'i dân o dan y dŵr,
Boi diddig a Bedyddiwr.

"Wyt ti wedi sylwi," meddai, "fod llawer iawn o brifathrawon gogledd Sir Benfro yn Fedyddwyr?"

I fod yn onest, doeddwn i ddim. Ond wrth fynd drostynt o un i un yn fy meddwl sylweddolais fod WR yn llygad ei le. O'r un ar bymtheg o ysgolion oedd yng ngogledd y sir, Bedyddiwr oedd prifathro deuddeg ohonynt!

Tua'r un adeg, roedd Vivian Morgan, prifathro Ysgol Maenclochog ers sawl blwyddyn, a Bedyddiwr hefyd, wedi ei benodi yn brifathro Ysgol Treletert yn ei hen gynefin. Dangosodd WR yr englyn i Vivian hefyd ac roedd e ar ben ei ddigon. Mynnodd gael yr englyn wedi ei lythrennu'n gain, ei osod mewn ffrâm a'i hongian ar wal y staffrwm yn Ysgol Treletert. Bu yno tan iddo ymddeol ymhen blynyddoedd. Ond roedd Vivian ar flaen ei draed o hyd yn taeru mai gair olaf yr "hysbyseb" oedd ei unig gymhwyster ef ar gyfer y swydd!

Rwy'n cofio Dafi'r Saer, oedd yn cadw gweithdy a rhyw ddeuddeg erw o dir ar gyrion sgwâr Twffton yn dweud o hyd, "Os digwyddwch chi gwrdd â mochyn ar glos ffarm neu yn rhywle arall, fe ddylech roi cic dda iddo yn ei ben ôl. Oherwydd mae e naill ai *wedi bod* yn gwneud drygioni neu *ar ei ffordd* i wneud drygioni."

Hwyrach mai dyna'r syniad oedd gan Tomi Morris, Mynachlog-ddu, yn ei feddwl hefyd wrth lunio'r englyn hwn:

## Y MOCHYN

Hwn a bawr ar ddisberod, – yn turio
    I bentyrrau sorod,
  Onid yw'n ei fynd a dod
  Y dewraf o'n dihirod!?

# CAMDDEALL

Dyma un hanesyn y clywais WR Evans yn ei ddweud lawer gwaith. Ei swydd gyntaf ar ôl gadael y coleg oedd athro yn Ysgol Abergwaun. Roedd e'n byw gartre gyda'i dad-cu a'i fam-gu ar ffarm Glynsaithmaen ym Mynachlog-ddu ac yn un o'r ychydig oedd yn berchen moto-beic ar y pryd.

Roedd 'na was yng Nglynsaithmaen o'r enw Ben – tua'r un oed â WR. Gan fod y ddau yn ddibriod roedd Ben yn arfer mynd gyda WR yn aml ar sêt gefn y moto-beic am noson o owtin. Unwaith, roedden nhw wedi mynd i gyffiniau Caerfyrddin ac wedi galw mewn caffi am baned o goffi. Roedd 'na ferch ddeniadol iawn yn gweini. Wedi eistedd wrth y bwrdd dyma nhw'n penderfynu cael pryd o fwyd hefyd.

"Y'ch chi eisie'r *menu*?" meddai'r ferch.

"Na, na," meddai Ben, "ddim nawr. Pryd o fwyd gynta a menyw wedyn."

Aeth un o wragedd Rosebush i Siop Gareth yn y pentre a gofyn, "Ga' i botel o sos, plis?"

"H.P.?" meddai Gareth.

"Nage, wir," meddai'r fenyw. "Talu lawr neu ddim o gwbwl!"

★ ★ ★

Aeth Wil i'r Ganolfan Iaith yn Hwlffordd i ofyn a oedd swydd yn mynd yn rhywle.

"Llenwch y ffurflen 'ma," meddai'r ferch y tu ôl i'r cownter, "er mwyn i chi gael eich cofrestru."

Ffurflen uniaith Saesneg oedd hi. Doedd Wil ddim yn gryf yn yr iaith fain o gwbwl a bu'n rhaid iddo grafu'i ben wrth geisio ateb sawl cwestiwn. Pan ddaeth at *Next of kin* dwedodd wrtho'i hun, "Wel, dyma un cwestiwn rhwydd, ta beth."

Ysgrifennodd y gair *Queen*.

★ ★ ★

Roedd bachgen o ardal Tegryn wedi cael gafael ar ferch am y tro cyntaf. Doedd e ddim yn siŵr beth i'w wneud â hi chwaith a phenderfynodd fynd â hi am dro i ben y Frenni Fawr. Tua hanner y ffordd i fyny dyma nhw'n eistedd ar y llawr i gael hoe fach. Rhoddodd y bachgen ei fraich am ganol y ferch a mwynhau'n fawr. Dechreuodd ei chusanu wedyn a mwynhau'n fwy byth. Wedyn, dyma fe'n dechrau chwarae a'i phenliniau gyda'i law a chael hwyl ar hynny hefyd.

"Galli di fynd mwy lan os wyt ti isie," meddai'r ferch.

"Na," oedd ateb y bachgen, "gwell i ni fynd lawr nawr rhag ofn iddi ddod i'r niwl!"

⋆ ⋆ ⋆

Tua'r wyth oed oeddwn, siŵr o fod, pan aeth Mam â fi at Lewis y Dentist yn Abergwaun i dynnu dant pwdr. Rhaid oedd dal y bws am ddeg y bore ar sgwâr Twffton – bws oedd yn rhedeg o Faenclochog i Abergwaun bob dydd Iau i roi cyfle i bobol y wlad fynd i'r dre i siopa.

Wedi cael siwrne ddigon hwylus daethom allan ar bwys Neuadd y Farchnad ar y sgwâr ac aeth Mam â fi yn ei llaw i dŷ'r deintydd yn Vergam Terrace ar waelod y dre.

Rhoddodd Mam gnoc ar y drws a cherdded i mewn. Roedd rhyw hanner dwsin o risiau ym mhen draw'r cyntedd yn mynd i fyny i'r syrjeri, a Lewis ei hun yn sefyll y tu mewn i'r drws yn ei got wen. Yn naturiol, fe aeth Mam a fi gyda hi i fyny'r grisiau a gofyn i'r deintydd a fedrai dynnu'r dant. Wedi iddo ofyn i mi agor fy ngheg a theimlo'r dannedd â'i fys dywedodd, "Popeth yn iawn. Eisteddwch ar llawr."

Heb oedi, dyma fi'n eistedd ar y llawr wrth ei draed. Dechreuodd Lewis chwerthin hyd nes ei fod yn ei ddyblau. Yr hyn roedd e wedi ei fwriadu oedd i ni fynd i lawr y grisiau i eistedd yn yr ystafell aros!

Rhyfedd fel y mae rhai dywediadau ac iddynt fwy nag un ystyr.

★ ★ ★

Clywais am ddyn dwâd, un o'r *down belows* Saesneg ei iaith, wedi priodi gwraig o ardal y Preseli a mynd i fyw ati ar y ffarm. Doedd e ddim yn ifanc ond fe ddysgodd Gymraeg. Dechreuodd gymryd at y capel hefyd a gofynnwyd iddo ddarllen darn o'r Ysgrythur mewn Cwrdd Gweddi. Y frawddeg gyntaf oedd: "Henffych well, Brenin yr Iddewon".

Darllenodd gydag arddeliad: "Hen fuwch wyllt, Brenin Werddon."

★ ★ ★

Ffarmwr hyd fêr ei esgyrn oedd Jac ac un diwrnod fe benderfynodd fynd â Huw ei fab naw oed gydag e i'r mart i brynu buwch. Ni fu'n hir cyn taro'i lygad ar heffer ddwyflwydd yn y lloc ac aeth ati i'w swmpo'n fanwl â'i law – ei swmpo ar hyd ei chefn, ar hyd ei hochrau ac o dan ei bol.

"Pam yn y byd y'ch chi'n swmpo'r fuwch fel 'na, Dad?" gofynnodd Huw iddo.

“Drych ’ma,” meddai Jac, “os wyt ti isie prynu buwch mae’n rhaid i ti ei swmpo hi’n dda i gael gweld sut beth yw hi.”

Y bore wedyn roedd Jac wrthi’n brysur yn godro yn y beudy a gwelodd y postmon yn mynd heibio â llythyr i’r tŷ. Cyn pen fawr o amser dyma Huw’n rhedeg allan â’i wynt yn ei ddwrn.

“Dadi, Dadi, dewch i’r tŷ yn glou,” meddai.

“Pam, be sy’n bod?” meddai Jac. “Rwy ar hanner godro.”

“Na,” meddai Huw yn gyffrous, “dewch nawr. Mae’r postmon isie prynu Mam.”

# HEL ACHAU

(yn null cerddi dwli Edward Lear a D Jacob Davies)

Dechreuais ryw nos Sadwrn,
O ddifri, welwch chi,
I ddod o hyd i'm hachau,
Gael gweld pwy ydw i.

Aeth pethau braidd yn ddryslyd
Wrth weld y ffeithiau'n dod;
Yn ôl y goeden deulu
Sa i'n meddwl 'mod i'n bod!

Fe ges i sioc ofnadwy
Mor gynnar â dydd Llun,
I ffeindio bod fy modryb
Yn hanner whâr i'r Queen.

Nid King George oedd tad Lizzie
Ond hanner brawd tad-cu;
Rhyw *hanky-panky* falle
'Sha Llunden – ych a fi!

Mae hyn yn ’ngwneud i wedyn,
A’r ffeithiau’n troi fel rhod,
Yn gefnder i Prins Charlie,
A sa i eisie bod.

Aeth popeth yn gawl sgadan
Er gwaetha’r gwaith a’r ffws,
’Nôl rhester achau’r wefan
Rwy’n frawd i Dewi Pws!

Es i’r archifdy wedyn,
A ’na beth we mistêc,
Cymhlethodd hynny’r cyfan,
Rwy’n nai i Charlie Drake.

Roedd arna i ofn dal ati,
Teflais y lot i’r bin
Rhag ofn bod f’enw’n rhywle
Yn dad i bin Lad-in.

Sa i eisie coeden deulu,
Naw wfft i Drake a’r Queen,
Rwy’n ddigon bodlon bellach
Ar fod yn fi fy hun.

Ken Thomas

# AMRYWIOL

Doedd Tom ddim yn alluog iawn yn yr ysgol a phan ddaeth hi'n amser iddo adael roedd ei fam yn poeni ymhle i gael gwaith iddo. Roedd siop *ironmonger* yn y pentre ac aeth ei fam i weld y perchennog i ofyn iddo a oedd siawns i Tom gael gwaith yn y siop.

"Wel," meddai'r perchennog, "fel mae'n digwydd mae angen rhywun arna i i weithio y tu ôl i'r cownter ar hyn o bryd. Dweda i beth wna i, fe gymera i fe am wythnos o dreial. Ac os bydd e'n siapo'n weddol, falle ceith e aros mla'n."

Ac ar hynny y cytunwyd.

Y bore Llun cynta fe aeth y perchennog â Tom o gwmpas y lle i ddangos iddo lle oedd popeth yn cael eu cadw. Wedyn fe ofynnodd i Tom aros y tu ôl i'r cownter a mynd i wneud rhyw waith ym mhen draw'r siop. Daeth dyn i mewn a dweud wrth Tom, "Dw i eisiau hanner pwys o hoelion pum modfedd."

"Does dim hoelion pum modfedd gyda ni," meddai Tom ac fe aeth y dyn allan.

Daeth y perchennog at Tom a gofyn, "Beth oedd y dyn 'na eisie?"

"Hoelion pum modfedd," meddai Tom.

"A beth ddwedaist ti wrtho?"

"Bod dim hoelion pum modfedd gyda ni."

"Drych 'ma," meddai'r perchennog, "ddylet ti ddim fod wedi dweud 'na wrtho. Dylet ti fod wedi dweud, 'does dim hoelion pum modfedd gyda ni ond mae digon o hoelion pedair modfedd 'ma.' Falle bydde fe wedi mynd â'r rheiny wedyn yn eu lle nhw. Ond dw i ddim yn mynd i roi'r sac i ti nawr. Fe gei di un cyfle 'to. Yr un nesa ddaw i mewn nawr, os na fydd yr hyn mae e eisie gyda ni, cynnig y peth agosa ato iddo, falle eith e â hwnnw yn ei le fe."

Aeth y perchennog 'nôl i ben draw'r siop.

Daeth rhyw fenyw grand i mewn, yn bowdwr a phaent i gyd. Cerddodd at y cownter a dweud, "Dw i eisiau papur toiled lliw *tangerine*."

"Does dim papur toiled gyda ni," meddai Tom, "ond ma digon o *sand paper* 'ma!"

Roedd rhyw hiwmor naturiol yn perthyn i Joseph James. Drwy gydol yr hanner canrif y bu'n weinidog yn Llandysilio a Bethesda roedd galw mawr arno i bregethu ar draws Cymru gyfan. Er bod ganddo radd B.A. go iawn i'w defnyddio ar ôl ei enw roedd pawb yn dweud mai Byth Adre ddylai'r ystyr fod.

Rwy'n cofio amdano'n llywyddu mewn Cymanfa Ganu pan own i'n blentyn. Erbyn hyn roedd e'n tynnu at ei bedwar ugain a braidd yn ffaeledig. Un o'i sylwadau cyntaf yn y pulpud oedd dweud iddo fod yn anhwylus yn ddiweddar ac iddo fynd i weld y meddyg y diwrnod cynt a chael un o ddau ddewis: 'Kingdom Come' neu 'Home Sweet Home' – dwy dôn boblogaidd!

⋆ ⋆ ⋆

Rhyfedd fel y mae rhywun yn dweud rhywbeth weithiau heb sylweddoli beth yn union mae e wedi'i ddweud. Rwy'n cofio Nhad yn sôn am Edgar y Lodor – dyn nad oedd yn mynd llawer o'i gartre – yn sefyll ar y lawnt o dan yr eglwys ar ddiwrnod Ffair Maenclochog. Daeth rhyw ddyn ato a gofyn, "Nawr 'te, dwedwch wrtho i, chi neu'ch brawd fu farw'n ddiweddar?"

Yr hyn oedd e wedi bwriadu ei ofyn, wrth gwrs, oedd "Ai eich brawd chi oedd y dyn fu farw'n ddiweddar?"

⋆ ⋆ ⋆

Mantais i'r tynnwr coes, bob amser, yw cael aderyn mawr i anelu ato. Ni fyddai adrodd rhyw hanesyn amdanoch chi a fi falle'n cael llawer o sylw. Ond o ddweud rhywbeth tebyg am rywun enwog a phwysig fe fyddai'r effaith yn llawer mwy.

William Williams, Pantycelyn, oedd un o arloeswyr y Diwygiad Methodistaidd yng Nghymru. Bu'n cynnal seiadau ac yn pregethu'r Efengyl ar draws y wlad am dros hanner canrif. Ef hefyd yw'r mwyaf cynhyrchiol o ddigon o'n holl emynwyr.

Mae sawl stori wedi ei chambriodoli i achlysur cyfansoddi rhai o emynau Williams. Stori wedi ei dyfeisio gan ryw dynnwr coes rywbryd neu'i gilydd siŵr o fod. Dyma un neu ddwy:

Roedd Williams wedi cael ei demtio gan gyfaill i fynd i dŷ tafarn. Wedi cael glasiad neu ddau neu efallai dri fe gerddodd allan yn bur sigledig ar ei goesau. Cyfansoddodd emyn yn y fan a'r lle:

Dal fi, fy Nuw, dal fi i'r lan,
'N enwedig dal fi lle rwy'n wan.

Unwaith, roedd e ar ei deithiau pregethu yn Sir Aberteifi ac yn lletya mewn rhyw ffermdy diarffordd. Roedd Williams wedi sylwi bod y lle braidd yn frwnt. Rywbryd yn ystod y nos fe ddihunodd yn ei wely a theimlo rhywbeth yn cerdded dros ei gorff i gyd. Chwain! Fe gyfansoddodd emyn eto yn y fan a'r lle:

Daw miloedd o rai aflan
I mofyn am y gwaed...

* * *

Roedd 'na ddyn o ardal y Frenni yn mynnu dweud fod ganddo filgi melyn mawr ar un adeg oedd yn gamster ar ddal cwningod. Roedd e wedi rhedeg i ddal cymaint ohonyn nhw ar hyd y caeau a'r llethrau yn ei ddydd nes bod ei goesau wedi treulio i lawr hyd yr hanner. Y diwedd fu fe fu'n rhaid iddo ei werthu fel corgi. Cafodd bris da amdano – yn Llundain, yn ôl pob sôn!

Onid yw dyfeisgarwch o'r fath yn siŵr o gydio yn nychymyg gwrandawyr a darllenwyr fel ei gilydd?

* * *

Cyd-ddigwyddiad oedd hi fod Esgob Tyddewi ar y pryd ac Athro Athroniaeth yn Rhydychen wedi digwydd bwrw'r nos gyda'i gilydd yng Ngwesty Trewern, Nanhyfer, adeg gwyliau'r haf. Wedi brecwast fe aeth y ddau am dro cyn belled â phont yr afon i fwynhau tawelwch y wlad.

Dechreuodd yr Esgob sôn am grefydd a dyma'r Athro'n dweud wrtho, "Mae'n ddrwg gen i, does gen i ddim i'w wneud â chrefydd. Yn wir, fel mater o egwyddor, does gen i ddim i'w wneud ag unrhyw beth nad 'wy'n ei ddeall yn iawn."

Arhosodd yr Esgob am funud a gofyn iddo, "A wnaethoch chi fwynhau eich brecwast y bore 'ma?"

"Do, wir," meddai'r Athro. "Ond beth sy gan hynny i'w wneud â chrefydd?"

"A wnaethoch chi gymryd y menyn Cymreig 'na ar eich tost?" gofynnodd yr Esgob.

"Do," oedd yr ateb. "Roedd e'n flasus dros ben hefyd."

"Nawr 'te," meddai'r Esgob, "a fedrwch chi egluro i mi sut mae buwch ddu a gwyn sy'n bwyta porfa las yn medru cynhyrchu llaeth gwyn sy'n troi'n fenyn melyn?"

"Na fedraf yn wir," meddai'r Athro. "Dw i ddim yn deall rhywbeth fel hyn."

"Felly, ga' i'ch cynghori chi," meddai'r Esgob, "o hyn allan, i beidio â gwneud dim â brecwast!"

* * *

Cof plentyn sydd gennyf am Mam yn corddi gartre ar y ffarm yng Nghastell Henri. Wedi rhoi'r llaeth yn y fuddai fawr rhaid oedd troi'r handlen â llaw am awr neu ddwy cyn y byddai'r cyfan yn troi'n fenyn. O droi'r handlen yn araf fe fyddai'n cymryd llawer mwy o amser wrth gwrs.

Rwy'n cofio cerdded adre o'r ysgol ar ddiwedd yr Ail Ryfel Byd pan oedd sibrydion ar led fod Adolf Hitler wedi dod i'r ddalfa. Roedd tri o weithwyr y ffordd wedi aros i siarad â ffarmwr wrth iet y clos a phwnc y drafodaeth oedd sut y dylai Hitler wynebu'r gosb eithaf. Cytunai'r pedwar y dylai hi fod yn farwolaeth hir a phoenus iawn. Cafwyd nifer o awgrymiadau fel ei gloi mewn stafell a'i adael heb fwyd na diod, neu ei hongian wrth goeden, ond nid oedd hynny'n bodloni pawb chwaith. O'r diwedd dyma'r ffarmwr yn dweud, "Dw i wedi cael syniad da – ei roi e mewn fuddai fawr a gofyn i un o fois y ffordd i droi'r fuddai!"

Dyna ddiwedd y drafodaeth!

* * *

Gwerthu cig i'w gwsmeriaid o gwmpas yr ardal oedd Phil y Bwtshwr pan ddaeth ci o rywle i fachu darn o eidion o gefn y fan a'i fwyta'n awchus. Gwnaeth ymholiadau ynglŷn â pherchennog y ci a chael ar ddeall mai un o gorgwn y cyfreithiwr lleol ydoedd. Aeth i'w weld ar unwaith a gofyn iddo,

"Os oes ci wedi lladrata darn o gig, pwy ddylai dalu am y cig?"

"Perchennog y ci," meddai'r cyfreithiwr.

"Nawr 'te," meddai Phil, "mae'ch ci chi wedi lladrata darn o gig o gefn y fan ac mae arnoch chi £6 i fi."

Tipyn o syndod i Phil oedd gweld y cyfreithiwr yn estyn yr arian iddo heb ddweud dim. Yn wir, teimlai ei fod yn haeddu plufyn yn ei het am gael gŵr y gyfraith i'r fagal mor hawdd.

Ond ymhen rhai dyddiau dyma fe'n derbyn bil wrth y cyfreithiwr:

*For advice rendered on 15 May: £15.*

Aeth bachgen o'r ardal i weld y meddyg teulu am ei fod yn cael trafferthion gyda'i lygaid. Gofynnodd y meddyg iddo,

"How far can you see?"

Atebodd y bachgen yn ddibetrus, "I can see the moon."

Ond mae'n well gen i sefyllfa ddoniol sy'n codi o

amgylchiadau hollol naturiol. Mae hanesyn arall am Waldo pan oedd e'n ymgeisydd Plaid Cymru yn etholaeth Sir Benfro wedi mynd i annerch cyfarfod cyhoeddus yn Cosheston. Roedd DJ ac Eirwyn Charles gydag e wrth gwrs. Pan aethant i mewn i'r neuadd, un yn unig oedd yn y gynulleidfa – dyn yn eistedd yn y sedd gefn â'i ben i lawr.

Dywedodd Waldo wrth y ddau arall, "Mae'n werth inni geisio achub un."

Er nad oedd Waldo'n siaradwr tanllyd fe gafodd hwyl anghyffredin arni y noson honno a bu'n traethu yn agos i hanner awr cyn tewi. Ni chododd y dyn ei ben i edrych arno o gwbl.

Ond wedi i Waldo eistedd, cododd y dyn ar ei draed gan ddod mla'n at Waldo a gofyn, "Have you finished now? I'm the caretaker and I've come to lock up."

# HWYL AR GYSTADLU

Roedd y gystadleuaeth gwybodaeth gyffredinol yn boblogaidd iawn yn y steddfodau bach ar un adeg. Y drefn oedd gofyn i'r cystadleuwyr ddod i'r llwyfan i ateb chwech o gwestiynau'r beirniad ar ddarn o bapur. Dyma rai o'r cwestiynau dyfeisgar!

"Pa liw oedd gwisg briodas y Frenhines Elizabeth 1?"

Ysgrifennodd yr ymgeiswyr pob math o liwiau gan obeithio am y gorau.

Ateb: Ni fu hi erioed yn briod.

Cwestiwn ysgrythurol: "Pwy oedd tad meibion Sebedeus?"

Ateb: Sebedeus,wrth gwrs.

"Pwy yw Prif Weinidog Maenclochog?"

Cafwyd enwau rhai o gymeriadau a phwysigion yr ardal yn atebion. Gan fod dau gapel ym Maenclochog ac un arall ar y cyrion, a'r tri yn perthyn i ofalaeth wahanol, ysgrifennodd un wàg enw'r unig bregethwr oedd yn byw yn y pentre!

Yr ateb: Prif Weinidog Prydain Fawr, wrth gwrs.

"Beth sydd gan gath nad oes gan yr un creadur arall?"

Ateb: Cathod bach.

Fe aned baban yn Llan-gam,
Nid mab i'w dad na mab i'w fam,
Nid mab i Dduw na mab i ddyn
Ond plentyn dedwydd fel pob un.
Beth oedd e?

Ateb: Merch.

★ ★ ★

Roedd tipyn o fynd hefyd ar y gystadleuaeth llunio diarhebion gwreiddiol. Dyma binsiad allan o sachaid o wenith:

Mae tafod miniog yn cadw awch heb ei hogi.

Nid wrth ei iaith y mae adnabod Cymro.

Dyfal glonc a grea gelwydd.

Gyda help arall y daw'r iorwg yn uchel.

Nid yw gwaith wedi lladd neb ond fe wnaeth lanast ar cythrel o ambell un.

* * *

Cafwyd rhai gemau hefyd yng nghystadleuaeth y frawddeg o bryd i'w gilydd. Roedd gofyn am frawddeg ar enw rhyw bentre adnabyddus yn gyffredin iawn.

Beth am hon ar yr enw PLWMP?

Pechais lawer wedi meddwl peidio.

Weithiau roedd stori'n cael ei dadlennu mewn un frawddeg. Bu'r Parchedig Moelwyn Daniel yn weinidog parchus iawn yn y Tabernacl Maenclochog a Llandeilo tua chanol y ganrif ddiwethaf. Prynodd gar Morris Minor ac yn fuan wedyn roedd e'n gyrru ar hyd y ffordd droellog rhwng y ddau bentre. Cyfarfu â Gwyn Blaen-sawd, un o'r aelodau, yn dod yn ei Austin 10. Gan fod y ffordd mor gul doedd dim lle i'r ddau gar basio'i gilydd. Cyn i Gwyn gael amser i fagio'n ôl i chwilio am gilfach i dynnu o'r neilltu fe benderfynodd y gweinidog fynd heibio drwy yrru ar hyd bol y clawdd. Y canlyniad fu i'r car droi drosodd.

Gofynnwyd am frawddeg ar y llythyren M yn Eisteddfod Maenclochog y flwyddyn honno. Dyma un ohonynt:

Moelodd Moelwyn moel Manteilo'r Morris Minor mewn munud.

Tro Moelwyn yw enw'r lle ar dafod yr ardal o hyd.

Ond brawddegau syml naturiol oedd gan amlaf yn ennill y dydd. Beth am hon ar y gair uchel ael TYWYSOG?

Trwm yn wir yw sachaid o gerrig.

Neu hon ar y gair CYSGOD gan Ken Thomas yn Eisteddfod Maenclochog ar ôl sefydlu S4C?

Cefnogwch y sianel Gwynfor oddefodd drosti.

CYFRES TI'N JOCAN
hiwmor
LYN EBENEZER

**www.ylolfa.com**

Am restr gyflawn o lyfrau'r Lolfa, mynnwch
gopi am ddim o'n catalog
neu hwyliwch i mewn i'n gwefan

**www.ylolfa.com**

lle gallwch archebu llyfrau ar-lein.

TALYBONT CEREDIGION CYMRU SY24 5HE
*ebost* ylolfa@ylolfa.com
*gwefan* www.ylolfa.com
*ffôn* 01970 832 304
*ffacs* 832 782